Couverture :
le château depuis
le bassin d'Apollon.
© Serge Chirol.

Pages 2-3 et 96-97 :
vue aérienne
du domaine
de Versailles.
Photo Robert Polidori.

Ci-contre :
détail de la façade
sur jardin.
© Serge Chirol.

SOMMAIRE

Société des Amis de Versailles
Château de Versailles
RP 834 - 78008 VERSAILLES CEDEX
Tél. : 01.30.83.75.48 - Fax : 01 30 83 75 19

INTRODUCTION

par Simone Hoog, conservateur général au musée national des châteaux de Versailles et de Trianon.

Inscrit sur la liste des chefs-d'œuvre du patrimoine mondial, le château de Versailles, ce jeune ensemble monumental et paysager, n'est âgé que de trois siècles et demi.

Création de Louis XIV, le château reste associé à la personne du roi; les transformations et les agrandissements apportés par Louis XV puis par Louis XVI restent mineurs et superficiels, car ils respectent profondément le dessein du grand aïeul. La structure générale du château et de ses jardins est aujourd'hui encore celle du XVIIe siècle. Le sens du «grand», du «riche», la recherche de la perfection qui pousse le roi et son entourage dévoué à remanier si souvent ce que les contemporains considéraient pourtant comme merveilleusement achevé sont sans doute la cause de l'admiration vouée par le visiteur d'autrefois et d'aujourd'hui à Versailles. Ce château n'est pourtant pas le plus grand du monde, il n'est pas techniquement le mieux construit et ne présente pas une parfaite unité de style. De ces imperfections équilibrées naît un charme indéfinissable auquel la majorité succombe, rejetant dans l'oubli quelques détracteurs jaloux.

Tout est surprise à Versailles. A la pompe des Grands Appartements et du prestigieux ensemble de la galerie des Glaces avec ses deux salons adjacents, côté jardin, s'oppose, côté cour, le dédale des appartements privés ou intérieurs, qui, de véritable musée des collections de Louis XIV, deviennent sous Louis XV et Louis XVI la vitrine de l'art décoratif français et l'exemple du bon goût moderne que l'Europe entière cherche alors à imiter.

Monde minéral, à l'est, du côté de la ville, vers lequel convergent les larges avenues, le château s'étale à l'ouest et se prolonge naturellement par les sompteux jardins et le parc. Malgré le démantèlement partiel du domaine durant la Révolution, le spectateur reste étonné lorsque, en quittant les grandes cours pavées par deux humbles passages voûtés, il pénètre dans les jardins. Cette surprise s'accroît lorsqu'il s'y promène. Les jardins au tracé orthogonal semblent si simples dans leur ampleur, pourtant les bosquets, cachés au sein des espaces plantés et régulièrement découpés, ne se laissent découvrir que par de petites allées courbes ou obliques. Cet ensemble, devenu le symbole des jardins à la française, est en fait une sorte de labyrinthe. Ici, Le Nôtre sut merveilleusement réaliser les désirs du roi en jouant avec tous les contrastes : ombre et lumière, grands espaces plats des parterres d'eau ou de broderies, perspectives savamment ouvertes sur la campagne, ou délicatement fermées par d'immenses plans d'eau, effets aquatiques d'une extrême variété surgissant brusquement dans un lieu où seul le végétal et la statuaire semblent apparemment devoir régner.

Il faut savoir gré à Louis-Philippe, malgré quelques erreurs – mais le temps lui fut compté –, d'avoir sauvé Versailles de la ruine en le transformant en un musée dédié «à toutes les Gloires de la France». Les travaux entrepris, que l'on juge aujourd'hui parfois trop audacieux, n'en sauvèrent pas moins le domaine. Les collections de peintures et de sculptures, alors regroupées dans la vaste demeure vidée par les ventes révolutionnaires et quelques dispersions administratives, sont aujourd'hui sources de découvertes et d'enchantement.

La réunion du musée-château et du domaine sous une seule direction, en 1989, puis la création d'un établissement public, en 1995, permettent à l'ensemble de retrouver une unité administrative facilitant la politique d'enrichissement et de restauration des collections, tout en atténuant les problèmes d'accueil du public. Mais beaucoup reste à faire. Si le château a retrouvé depuis cinquante ans une partie de ses richesses et de sa vitalité, il se voit encore privé de meubles et objets d'art, exilés dans des collections publiques ou des administrations françaises. Le mécénat, certes généreux, reste encore trop rare. Quant au personnel, si nécessaire, il nous est chichement compté.

Versailles vit et survit. Symbole de la Monarchie pour certains, de la République pour d'autres, témoin de l'histoire de France dans ses fastes et ses désastres, si admiré universellement, Versailles a besoin qu'on s'occupe de lui, avec autant de générosité qu'il offre de beauté aux visiteurs du monde entier accueillis chaque année par millions.

1. Le château depuis le parterre d'eau.
© Serge Chirol.

VERSAILLES, LIEU DE CÉRÉMONIES

*L'art versaillais a vocation spectaculaire :
il révèle sa vraie nature lors des grandes
célébrations, quand tout s'accorde dans
la pompe royale.*

2. Henri Testelin,
*Etablissement
de l'Académie
des Sciences
et fondation
de l'Observatoire
en 1666,*
huile sur toile,
348 x 590 cm.

2

Versailles n'est pas un château. Versailles est, par excellence, «le» château. Son privilège est d'offrir à ses visiteurs l'idée même de château, portée à sa perfection et s'imposant dès les premiers pas. Il est de par le monde bien des demeures illustres qui l'emportent de loin pour l'ancienneté : à tout prendre, n'ayant pas quatre siècles d'âge, Versailles peut même passer pour un monument de date relativement récente. D'autres conservent des trésors artistiques plus prestigieux encore que les siens : que l'on songe seulement au Vatican, avec ses décors de Michel Ange et de Raphaël, ou au Palais Ducal de Venise, avec ses Véronèse...

D'autres, plus favorisées par leur site, offrent une architecture plus mouvementée, des horizons ouverts sur l'infini. Il en est aussi, particulièrement en Angleterre, qui sont encore habitées noblement; leur décor n'a pas seulement été respecté par les siècles : le passé, comme par miracle, y semble rejoindre familièrement la vie présente. Tout cela n'empêche pas que les millions de touristes qui tiennent à voir, une fois au moins dans leur vie, le château de Versailles, sentent plus ou moins confusément cette chose vague et certaine : c'est ici que l'idée de château a pris sa forme à la fois la plus haute et la plus complète.

3

3. Antoine Pesey,
*Louis XIV recevant le
serment du marquis
de Dangeau
dans la chapelle
du château
de Versailles,
le 18 décembre
1685,*
huile sur toile,
113 x 175 cm.

4. Hyacinthe
Rigaud, *Portrait
de Philippe
de Courcillon,
marquis de
Dangeau,
représenté
en costume
de grand maître
des ordres réunis
de Notre-Dame-
du-Mont-Carmel
et de Saint-Lazare,*
1702,
huile sur toile,
162 x 150 cm.

4

Malgré bien des péripéties historiques et des
désastres divers, c'est ici qu'elle apparaît avec
le plus de force. D'où vient ce privilège ? N'en
cherchons pas l'explication du côté des chiffres et
des statistiques : le nombre des fenêtres, l'étendue
des toitures, les millions dépensés pour la
construction ou l'entretien impressionnent mais
n'émeuvent pas. Il faut chercher ailleurs, et plus
profond. La réponse est alors simple : Versailles
reflète un grand dessein, un dessein qui parvint à
s'incarner dans l'histoire et à s'enrichir des multiples signes d'une mémoire séculaire. Car Versailles fut conçu par le roi qui, de tous les souverains d'Europe, eut la plus haute idée de la
royauté, Louis XIV; et cela, pour avoir une «maison» où put pleinement se déployer cette existence de grand roi, ce qu'alors permettait mal le
Louvre... Cette idée, non seulement fut réalisée
dans toute son ampleur, mais s'imposa aux rois

qui lui succédèrent. Versailles servit de cadre à la monarchie française dans le temps de son plus grand éclat et de sa préséance en Europe, se transformant, se développant sans cesse, accumulant les trésors d'art et plus encore les souvenirs. Insistons sur ce point. Beaucoup de châteaux sont nés d'une seule venue. Ils offrent dans toute son évidence visuelle l'idée d'un architecte, avec ce qu'elle peut avoir, le cas échéant, d'impressionnant ou de gracieux. L'unité du bâtiment traduit alors l'unité du dessein et l'impose à l'esprit.

D'autres châteaux résultent d'initiatives diverses et parfois contradictoires surgies au cours des siècles : c'est le cas des plus illustres, en France le Louvre ou Fontainebleau, à Rome le Vatican, à Vienne la Hofburg. Souvent, et notamment dans ces deux derniers palais, le dessein initial ne se distingue plus. L'enchevêtrement extérieur évoque de façon émouvante la complexité d'une longue et très illustre histoire, mais profite plus au pittoresque qu'à la beauté de l'ensemble. Les désaccords, les contradictions architecturales nuisent à l'impression de grandeur, qui ne se découvre que dans le dédale des appartements et l'ampleur des décors intérieurs.

Versailles est peut-être le seul grand palais qui réunisse parfaitement l'un et l'autre aspects. De la ville, la succession des façades à partir de la modeste Cour de Marbre suggère la croissance quasi organique d'un bâtiment qui se développe au long des années, des siècles; mais depuis les jardins on n'aperçoit que l'unité majestueuse d'un grand dessein, que l'affirmation d'une architecture qui soumet à une même et parfaite harmonie la pierre, la verdure et l'espace. Etroite alliance et surprenant contraste, où la pensée maîtresse paraît s'offrir à la fois dans son unité fondamentale et dans ses vicissitudes historiques.

La beauté de cette pensée, la volonté royale qui s'y exprime grâce au génie d'un grand architecte, la splendeur qui s'y allie au raffinement et à la mesure : c'est ce que bien des écrivains ont tenté de dire. Mais, Dieu merci, ni la Révolution, ni les négligences, ni le tourisme n'en ont ruiné l'essentiel. Chacun peut encore venir à Versailles en retrouver, à son gré et selon sa sensibilité, la fascination poétique. Qu'on nous permette pourtant d'en souligner un aspect trop souvent né-

5

gligé, et qui touche à la conception même du château. Tout château évoque la richesse, la puissance, et le mode de vie qui l'accompagnent : inquiet, rude et guerrier, mêlant fêtes et combats pour le Moyen Age; opulent et de plus en plus raffiné de la Renaissance au XVIIIe siècle.

Mais le château royal possède un privilège : la monarchie impose, ou plutôt retrouve et développe une très vieille notion, celle de la cérémonie. Et du même coup étudiée comme la survivance d'anciens rituels désormais dépourvus de tout sens profond, la cérémonie a perdu un à un tous ses prestiges passés. Il peut aujourd'hui paraître absurde d'y voir l'un des ressorts majeurs de la création artistique. Et pourtant l'Antiquité l'avait pratiquée, et la religion en avait conservé la tradition jusqu'à nos jours. Au Moyen Age comme au XVIIe ou au XIXe siècles, l'église était d'abord conçue pour elle. Son plan même, ses vitraux, ses orfèvreries, ses retables, ses orgues, ses

5. Hyacinthe Rigaud, *Louis XIV en costume de sacre en 1701*, huile sur toile, 277 x 194 cm. Musée du Louvre, Paris.

6

ornements liturgiques, et jusqu'aux cierges et à l'encens, tout concourait à ces grands moments qu'étaient les offices solennels, où les prêtres et les fidèles participaient également, où tout prenait sa signification et sa juste harmonie des exigences d'une liturgie minutieuse, qui était la donnée esthétique majeure.

On ne craignait pas de très grandes dépenses (pour la musique notamment), et rares étaient les esprits chagrins qui y voyaient gaspillage et frivolité. On y reconnaissait au contraire des instants privilégiés où les hauts mystères de la religion s'alliaient aux plus nobles satisfactions de l'âme, et qui rendaient comme sensible la dignité spirituelle de l'existence humaine. Or la cérémonie royale a quelque chose de la cérémonie religieuse. Comme l'église pour les grands offices, le palais est disposé, construit, orné en fonction des grands moments d'une cour. Louis XIV souhaitait exalter sa fonction de roi (et non sa personne comme

le répète sottement une critique hostile); il tenait aussi à séparer clairement le domaine de la religion et l'exercice du pouvoir monarchique. Versailles fut construit comme lieu de la cérémonie royale. Plus que tout autre château – y compris le Vatican en tant que palais – il en conserve la marque, il en impose le souvenir.

Depuis la fête proprement dite et le ballet de cour, donnés par les plus grands seigneurs et le roi lui-même, jusqu'aux moments officiels de la vie du souverain, la cérémonie ne cessait de réapparaître à Versailles – une cérémonie qu'il ne faut surtout pas confondre avec le spectacle. Chacun, à son niveau, y participait, de même qu'y participaient tous les arts. Songeons simplement au moment où Louis XIV, dans l'éclat des costumes, des lustres et des miroirs, traversait la galerie des Glaces peinte par Le Brun, décorée de buffets sculptés, de bassins d'argent massif, d'orangers en fleurs, pour se rendre lentement, au milieu des courtisans

7

pénétrés de respect et régis par une stricte hiérarchie, jusqu'aux musiques de la chapelle. A-t-on assez remarqué que ces instants solennels qui, plus ou moins forts, plus ou moins réguliers, ponctuaient l'existence des courtisans, n'étaient pas ressentis comme des contraintes, mais précisément comme des cérémonies, par des hommes qui les vivaient comme la forme supérieure de l'art ?

Versailles est aujourd'hui un musée. On peut se contenter d'y admirer à loisir l'une des architectures les plus harmonieuses qui soient, des chefs-d'œuvre de la peinture et du mobilier, et des jardins fameux entre tous. Mais quelque chose de plus s'y conserve, et ne se ressent nulle part aussi bien qu'ici : la conception, devenue si étrangère à notre pensée, d'un art total, d'un art où chacun des arts accepte de jouer sa partie, où chacune des œuvres abdique le sublime individuel, qui est toujours discordance, pour contribuer à un autre sublime, qui naît de l'accord

général. Quand les salles du palais sont vides, les jardins déserts, les jets d'eau éteints, cet accord même crée un sentiment d'attente qui se nuance d'une sorte de mélancolie.

Mais Versailles est toujours prêt à reprendre son rôle de palais; et c'est alors que le sortilège s'efface, que tant de splendeurs accumulées révèlent leur véritable sens : être le lieu et l'instrument d'instants sublimes. Que Versailles redevienne pour quelques heures lieu officiel, qu'il retrouve une société choisie, l'élégance des robes et des bijoux, les soldats rendant les honneurs, les spectacles, les lumières, les feux d'artifice, les grandes eaux : alors une harmonie souveraine s'établit. On s'aperçoit que chacun des chefs-d'œuvre avait été calculé moins pour sa perfection propre que pour ces moments privilégiés. Le plaisir qui naît de leur accord est d'une qualité, d'une plénitude telle que le plus beau tableau, la plus belle sculpture ne sauraient

6. Claude-Guy Hallé, *Réparation faite à Louis XIV par le doge de Gênes dans la galerie des Glaces*, commande royale de 1710, huile sur toile, 343 x 603 cm.

7. Meiffren Comte, *Nature morte au chandelier des travaux d'Hercule*, huile sur toile, 85 x 108 cm.

9

le susciter. L'objet le cède à l'ensemble, la beauté des formes à la perfection de l'instant.

Celui-là même qui participe à la fête se trouve soudain porté au point extrême où, toute vicissitude oubliée, sa propre durée devient harmonie et satisfaction des sens et de l'esprit. Il n'y a plus contemplation extérieure d'un chef-d'œuvre : c'est le moment vécu qui devient lui-même œuvre d'art. **Jacques Thuillier, professeur au Collège de France.**

10

8. Le bassin d'Apollon, lors des Grandes Eaux. © Anne Gaël.

9. Claude Gillot, *Quatre Costumes pour le ballet des éléments,* aquarelle, début XVIIIe siècle, 18,6 x 25,5 cm. Musée du Louvre, Paris.

10. Jean Nocret, *la Famille de Louis XIV, représentée en travestis mythologiques,* 1670, huile sur toile, 305 x 420 cm.

L'ART DE LA FÊTE

11

Dans la France du XVIIe siècle, les cérémonies religieuses ou civiles sont toujours l'occasion de somptueuses fêtes, issues des fastes de la Renaissance italienne. Le règne de Louis XIV, après la célèbre fête donnée par Foucquet, en 1661, en son château de Vaux, est dominé par trois fêtes données à Versailles. En 1664, Les «Plaisirs de l'Isle enchantée», fête offerte officiellement à la reine-mère et à Marie-Thérèse, mais dédiée à la marquise de La Vallière, est sans doute l'une des plus extraordinaires. Organisée avec l'assistance de Benserade et de Vigarani, elle illustrait des épidodes tirés du «Roland furieux» de l'Arioste, que le roi lui-même ne dédaignait pas d'interpréter et pour lesquels on avait réalisé d'importantes constructions éphémères sur le canal et dans le parc. C'est ainsi que durant une semaine, après un carrousel d'ouverture, le parc et les appartements de Versailles furent le théâtre de représentations diverses : intermèdes musicaux, jeux de machines, ballets, spectacles scéniques ou pyrotechniques et collations. C'est au cours de ces journées que furent créés «la Princesse d'Elide» et «le Tartuffe» de Molière, tandis qu'étaient repris «les Fâcheux», écrits pour Foucquet, et «le Mariage forcé». Par leur assimilation du souverain aux héros de l'antiquité, ces fêtes exaltent la gloire du monarque. Leur faste est d'ailleurs immortalisé par les descriptions et les gravures qui furent publiées, notamment par Félibien, historiographe du roi. **Thierry Bajou, conservateur au musée national des châteaux de Versailles et de Trianon.**

12

13

14

ARCHITECTURES ROYALES

*Versailles est plus que le siège et le symbole
de la Couronne : il est l'œuvre de Louis XIV,
volontiers architecte, et de ses successeurs,
qui s'appliquent à parfaire le grand dessein.*

**Patel fixe l'état
du château
en 1668 :
la construction
initiale
de Louis XIII,
à peine enrichie,
se distingue
au centre,
enveloppant la
cour de Marbre.**

15. Pierre Patel,
*Vue perspective
du château et des
jardins de Versailles
depuis la place
d'Armes*, 1668,
huile sur toile,
115 x 161 cm.

15

**Au commencement est la chasse. Par tradition
et goût, les Bourbons aiment courir le gibier,
qui abonde sur les terres du futur château.**
Elles appartiennent encore à la famille des Gondi,
proche de la cour depuis Henri II, quand Henri IV
y vient chasser. Louis XIII s'adonne avec la même
fougue que son père aux plaisirs de la vénerie, dans
cette nature encore sauvage. Hôte des Gondi, le roi
décide bientôt de faire bâtir un pavillon. Modeste
construction avec son corps de logis de vingt-
quatre mètres de long, flanqué par deux ailes qui
méritent à peine ce nom. Dans ce qui n'est qu'une
étape commode, le mobilier est lui aussi fort
réduit. L'ambassadeur de Venise, habitué à plus de
faste, s'étonne qu'un roi de France puisse se contenter d'une si *picciola casa*. Le prestige du souverain
en souffre-t-il ? Quoiqu'il en soit, entre 1631
et 1634, quand précisément l'autorité royale mena-
cée se ressaisit, ordre est donné de rendre cette demeure, même passagère, plus digne de Louis XIII.
Les travaux, dirigés par Philibert Le Roy, iront bon
train. A terme, le nouveau château de briques
rouges et pierres blanches – lesquelles soulignent
angles et ouvertures – se compose d'un corps de
logis agrandi et de deux ailes en retour d'équerre,
reliées à l'entrée par des arcades grillagées. Quatre
pavillons aux angles, autour un fossé... Ainsi modifié et environné par une superficie de terrain accrue,
où s'amorce un jardin orné, le château doit abriter
la retraite pieuse du roi, après que le dauphin aura

atteint l'âge de régner. Mais la mort prématurée de Louis XIII en 1643 va en décider tout autrement... La demeure, au lieu d'être le refuge d'une vieillesse exemplaire, servira à protéger les amours du jeune Louis XIV. La prise de pouvoir est suivie de peu par des nouvelles modifications du site – où Le Nôtre entre en scène – et du château. On distribue l'espace intérieur selon les besoins de la famille royale : le roi, au nord, fait face à la reine, logée au sud. Là où Louis XIII s'abstint de convier le pinceau de Vouet, son fils dépêche Charles Errard. Le règne qui s'ouvre, une fois réduite la Fronde et abattu Foucquet, cherche à éblouir. Le palais, en soi, n'est encore qu'un élément modeste dans cette magnificence qui marque la restauration du pouvoir royal. On touche à peine au gros œuvre : autour du U central court la guirlande d'un balcon «à l'espagnole». En 1662-1663, on repousse légèrement les nouveaux communs, après avoir détruit les anciens : écuries au sud, cuisines au nord. Accru, l'espace enclos fait cour, fermé par une grille ponctuée de deux pavillons. Cette clôture est le départ d'un autre espace circulaire qui descend vers une première entrée marquée par deux obélisques symboliques.

Par souci d'homogénéité, la brique et la pierre sont maintenues dans les communs. Mais certains traits du palais actuel sont déjà en place : le goût des décrochements, la scénographie spatiale avec sa progression hiérarchisée depuis la ville jusqu'au noyau initial. Le Vau, qui est l'architecte de cette première mue, met dans ces travaux tout le génie que Foucquet a su précédemment susciter. La succession dynamique des droites et des courbes, des ouvertures et des fermetures, la scansion des cours sonnent comme une phrase bien réglée, au rythme puissant. Le plus extraordinaire se déroule encore dans les jardins, théâtre de spectacles dispendieux : la grandeur du roi, au mépris des symboles durables, se montre dans le luxe éphémère de la fête. Mais Colbert veille au trésor : lorsqu'il s'agit d'agrandir le château, il opte, après avoir accepté semble-t-il le projet d'une destruction, pour la solution la plus économique. Bien que démodé et peu apte au cérémonial, le noyau primitif demeure. Le Vau imagine à regret, en 1668, de l'envelopper d'une construction en bonne pierre de taille qui en masque depuis les jardins l'archaïsme déplaisant. Par cet artifice, les nouveaux bâtiments englobent

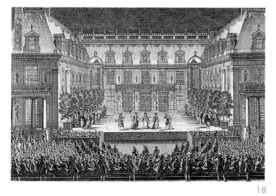

les anciens, créant au nord et au sud deux cours internes et se prolongeant dans l'alignement des communs reliés désormais au U central. Sous les fenêtres du vieux château, augmenté d'un balcon central, on pave de marbre – d'où sa dénomination actuelle – le petit espace où comédiens et chanteurs établiront maintes fois leurs décors... Entre les communs, l'ancienne grille arrondie est redressée. Au-delà, signe que la fonction de Versailles évolue, les secrétaires d'Etat se voient attribuer leurs pavillons respectifs. «Ainsi l'arborescence a-t-elle pris de l'ampleur», comme l'écrit Jean-Marie

Pérouse de Montclos (1989), qui a donné une analyse précise du nouveau langage adopté par les façades sur jardin. Dans la syntaxe de Le Vau se condensent l'héritage de l'aile Lescot du Louvre (les bossages du premier niveau) et peut-être l'influence du Bernin. La façade ouest répond en effet à un parti original : dégageant en son centre une terrasse – que remplira la galerie des Glaces plus tard –, l'enveloppe architecturale, avec son étage noble et son attique scandés par des colonnes et des pilastres seuls ou accouplés, avec ses avant-corps ornés de sculptures, n'est plus coiffée par le traditionnel toit brisé «à la française». Derrière les balustrades, la légère inclinaison de la couverture ne se perçoit pas. Au-dessus du robuste premier niveau, les colonnes ioniques encadrent des baies rectangulaires dont Jules Hardouin-Mansart courbera l'extrémité supérieure en faisant disparaître leurs tables ornées. **Pour dessiner les nouveaux appartements royaux on bâtit au nord l'escalier des Ambassadeurs, détruit au XVIIIe siècle, et au sud l'escalier de la Reine.** Un symbolisme cosmologique inspire la décoration des appartements et va en quelque sorte orienter dans l'ultime phase de la-

19

La perspective
aérienne
de Silvestre
rend justice au
dispositif spatial
que commande
le château,
tant vers la ville,
où l'on perçoit
les écuries
de Mansart,
que vers les
jardins, dessinés
avec la même
rigueur.

19. Pierre-Denis
Martin, *Vue du
château de Versailles
depuis la place
d'Armes*, vers 1722,
huile sur toile,
137 x 155 cm.

20. Israël Silvestre,
*Vue générale de
la ville, du château
de Versailles et des
jardins* (détail),
plume et encre brune,
Musée du Louvre,
Paris.

20

construction du palais l'apport décisif de Jules Hardouin-Mansart. Le successeur de Le Vau va achever la figure. De 1678 à 1688, dix ans de paix et de prospérité, dix ans où la gloire de Louis XIV est à son zénith. Le château entre de nouveau en chantier, mobilisant pour ce faire des milliers d'hommes, dont beaucoup y laisseront la vie. Vers le jardin, Mansart étend, en retrait sur la façade existante, deux ailes – dites du Midi et du Nord – où il répète inlassablement le même vocabulaire de colonnes et de baies, brisant cette monotonie par le volume affirmé des avant-corps. La volonté royale de privilégier la dimension horizontale prévaut sur les désirs contraires de l'architecte, qui comble, avec l'enfilade de la galerie des Glaces, l'ancienne terrasse. Un bloc sans fracture, tel se présente le palais. Sur la cour néanmoins, il coiffe les communs d'un haut toit «à la française» et, pour compenser l'étirement horizontal, il crée deux ailes perpendiculaires en reliant deux à deux les pavillons des Secrétaires d'Etat. Dès 1659, Versailles a généré une ville ordonnée autour de la fameuse «patte d'oie», qui déroule trois avenues. De part et d'autre de l'axe central, prolongement de celui des jardins, s'arquent, tels des fers à cheval, les écuries que Mansart élève après 1678. Un langage musclé, quasi fougueux, adapte aux fonctions du lieu ses bossages, ses piles quadrangulaires, ses ouvertures carrées et ses toits hauts. Etendu et accru au nord comme au sud, à l'est comme à l'ouest, Versailles forme désormais un massif minéral dont les articulations multiples se cachent les unes les autres, imposant cependant le grand dessein qui les intègre, mais qui a besoin d'être jugé de haut pour être pleinement compris. C'est d'avion, comme à Borobudur, qu'on perçoit à la fois la cohérence architecturale et le symbolisme cosmique. Entre la nature apprivoisée des jardins et la ville industrieuse, le palais résume aussi la puissance du pouvoir politique. Au reste, le 6 mai 1682, Versailles devient le siège de l'Etat. Les faits d'armes du roi tendent à remplacer la glose mythologique dans la décoration interne.

Mais pour échapper de temps à autre à cette ville dans la ville qu'est devenu le château – il ne retient pas moins de dix mille personnes –, le roi se fait construire par Mansart, en place du Trianon de porcelaine (admirable anticipation des chinoiseries du siècle suivant), le Grand Trianon.

tre
açade
lin une
e servit
sage
n 1678.
rie des
combla
sans
l'unité
cturale.

Le corps dessine encore un U, comprend un seul étage, des toits presque plats dissimulés par une balustrade courante ponctuée de sculptures, un péristyle central, et se colore d'une délicate polychromie. C'est encore Louis XIV qui impose le parti horizontal, il décide aussi l'emploi du marbre rose dont sont faits les pilastres et le bandeau supérieur de l'entablement. «Le plan si particulier du Trianon, désarticulé et comme dilué dans la nature, les dispositions paradoxales de la distribution qui font que l'on dédaigne d'exploiter la vue sur le canal, tout cela est œuvre du roi», écrit Françoise Boudon (1988). «Au Trianon, les architectes sont entièrement à son service. Le comble élevé proposé par Mansart, bien dans l'esprit de ce qu'il avait imaginé pour Versailles, est rejeté. Le roi veut conserver au Trianon son aspect de petite maison : il exige un comble bas, invisible du sol, au risque de gêner le tirage des cheminées. Louis XIV, amateur de jardins, rêve d'un contact intime avec la nature policée et fleurie que savent lui composer ses jardiniers.» La dernière réalisation importante du règne sera la

22

21. La façade sur jardin depuis le parterre d'eau. © Anne Gaël.

22. Ecole française du XVIIe siècle, *Vue du château sur le parterre d'eau*, vers 1675, huile sur toile, 136 x 154 cm.

chapelle, dont on aperçoit le chevet depuis la cour. Elle s'élève avec un élan d'une verticalité toute gothique qui symbolise assez bien l'emprise des dévots sur la vieille cour.

Les héritiers du trône, jusqu'à Louis-Philippe, n'altèrent que peu l'œuvre de leur illustre ancêtre. Les interventions ultérieures se font davantage sentir dans les aménagements internes. Néanmoins, sous Louis XV, Gabriel construit l'Opéra à l'extrémité ouest de l'aile nord et ébauche son «grand projet» en 1771. La même obsession anime les architectes depuis Le Vau : mettre fin au disparate du château côté cour en habillant, à défaut de les détruire, les parties brique et pierre. Gabriel ne parviendra qu'à camoufler l'aile droite des Ministres au centre de laquelle il prévoit un Grand Degré qui ne sera achevé qu'en 1985... Le Petit Trianon, achevé en

1764, témoigne mieux et du talent de Gabriel et des premiers pas du néo-classicisme en France. Entouré de jardins, ce pavillon destiné à la Pompadour offre quatre façades d'un dessin différent mais toujours épuré. Portiques de colonnes ou pilastres gracieux, chapiteaux corinthiens accordés à l'ambiance palladienne du lieu, seules fantaisies à échapper à la sobriété extrême d'un ensemble où dominent les horizontales...

Le destin de Versailles est lié à la famille royale : la Révolution entraîne le palais dans la déchéance de la monarchie. Ni Napoléon ni les Bourbons ne parviendront à le relever. En revanche, l'empereur fait remeubler le Grand Trianon et lui donne son éclat actuel. Louis-Philippe, qui aime à y séjourner, se fait également attribuer le château en le restaurant sur les fonds de la Liste civile, rendant ainsi à la nation la demeure des rois. ***Stéphane Guégan***

23. Jean Cotelle, *Vue du château du Grand Trianon et des parterres, en 1693,* gouache sur vélin, 45,5 x 36 cm.

24. Pierre-Denis Martin, *Vue du château et du Grand Trianon depuis l'avenue en 1723,* huile sur toile, 137 x 155 cm.

24

LE DOMAINE DE TRIANON

25

26

A Trianon, depuis Louis XIV,
on vint chercher une intimité devenue
impossible à Versailles. Une année
a suffi à Jules Hardouin-Mansart pour
la construction du Grand Trianon,
petit palais de marbre rose et quintessence
de l'architecture classique.
Louis XIV y dîna en janvier 1688.
Non loin de là, Louis XV
confia à Jussieu le soin d'un jardin
botanique. Il fit créer également un jardin
«à la française». Gabriel est chargé
d'édifier le pavillon de Repos, de goût encore
rococo. Le même architecte achevait
le Petit Trianon en 1764, année
de la mort de Madame de Pompadour
pour qui Louis XV avait
commandé cette élégante construction
où la sobriété néo-classique
s'affirme déjà. Marie-Antoinette hérita
du domaine : sur sa demande l'architecte
Mique transforma à partir de 1777
le parc pour l'accorder
à la mode des jardins «à l'anglaise».
C'est de cette époque que datent
le Belvédère, lieu de repos, le Temple de
l'Amour, qui abrite une réplique de
l'Amour de Bouchardon, le célèbre village
rustique et sa ferme. Jamais artifices
n'avaient mieux imité la nature... **S. G.**

En fond : balustrade
en fer forgé du
Grand Trianon.
© Anne Gaël.

25. Le Petit Trianon.
© Serge Chirol.

26. Le Pavillon
français.
© Anne Gaël.

27

28

29

27. Le Grand
Trianon.
© Serge Chirol.

28. Le moulin du
hameau de la Reine.

29. Le Grand
Trianon.
© Anne Gaël.

VERSAILLES RESSUSCITÉ

Pendant près de deux siècles l'histoire du château se confond avec celle de la monarchie française. Jusqu'à la révolution son décor ne cessa d'évoluer selon les besoins de la vie de cour.

«Ce qu'il y a de plus beau à Paris, c'est Versailles». Ainsi s'exprime un jeune provincial monté pour quelques jours à Paris afin de visiter l'Exposition universelle de 1878. Paris et l'Exposition offrent certes des promenades édifiantes, et des distractions sans nombre, mais c'est au cours d'une visite au vieux palais des rois que ce touriste pressé rencontre l'émotion la plus forte. Versailles pourtant, en ce début de la IIIᵉ République, n'est plus que l'ombre de lui-même. Le palais est gangrené par des enclaves administratives. Dans le délicat opéra de Gabriel, une des plus belles salles d'Europe, barbouillé en rouge sang de bœuf sous la Monarchie de Juillet, siège le Sénat. Un vitrage y a remplacé le plafond peint; un plancher masque les loges inférieures ou «baignoires»... La salle des Maréchaux est occupée par la Société des artistes de Seine-et-Oise qui y organise ses expositions. Seuls sont alors ouverts à la visite le parc, la galerie des Glaces et les salons voisins, démeublés et privés de la plupart des tableaux et des tentures qu'on y voit aujourd'hui. Pour organiser son musée historique, Louis-Philippe avait fait démonter la plupart des boiseries au rez-de-chaussée du corps central ainsi que dans les ailes du nord et du midi. Dans les anciens appartements princiers, il avait installé une litanie de portraits et de scènes militaires ou historiques dont la qualité picturale était inégale. Certains de ces ensembles, comme la salle des Rois de France, qui donnait sur la Cour de Marbre, et qui alignait les effigies des souverains français depuis Clovis, ne

s'embarrassaient pas de scrupules archéologiques. Louis-Philippe avait sauvé Versailles que la Révolution avait démeublé et dont ni Napoléon ni Louis XVIII n'avaient tiré parti. Mais il avait commis quelques bévues, fait preuve, parfois, de monotonie, voire de parcimonie, dans ses aménagements.

Après lui, Napoléon III s'était plus intéressé au Louvre qu'à Versailles. La Commune, en forçant le gouvernement à s'installer dans le palais, avait indirectement aggravé le sort de celui-ci. Mais tout cela ne rebute pas notre fringant touriste dont l'enthousiasme pour le palais déchu trouve quelques années plus tard un chantier à sa mesure : devenu conservateur du château de Versailles en 1887, Pierre de Nolhac consacre dès lors tous ses efforts à restituer à cette grande bâtisse maussade son aspect palatial. Historien, Nolhac comprend que pour redonner vie à Versailles, il faut retrouver, sous le musée poussiéreux et mutilé, le palais des rois. Dans les magasins, il retrouve des boiseries, des statues, des fragments de décor. Il les étudie, commence peu à peu à reconstituer ce gigantesque puzzle.

Le mouvement est donné. Ses successeurs prendront la relève. Par des dons, par des achats, par des dépôts d'œuvres consentis notamment par le Louvre et Fontainebleau, les appartements ont retrouvé leurs soieries, nombre des meubles, des objets, des tableaux qui en avaient fait la gloire. Le tic-tac des pendules retentit à nouveau. Ce qui, au début de ce siècle, pouvait encore sembler une gageure, est devenu réalité : Versailles revit. **Jérôme Coignard**

30. Eugène Lami,
*Souper offert
par Napoléon III
en l'honneur
de la reine Victoria
dans la salle
de l'Opéra royal
de Versailles,
le 25 août 1855*
(détail),
gouache sur papier,
83 x 145 cm.

MÉTAMORPHOSE
D'UN CHÂTEAU DE CARTES

En 1661, Louis XIV commence ses travaux d'embellissement du petit château qu'il a hérité de son père, inaugurant un chantier dont il ne mesure pas encore l'ampleur. Versailles est alors la plus modeste des résidences royales. Le château de Louis XIII ne possède ni la situation spectaculaire de Saint-Germain ou de Saint-Cloud, ni la somptuosité des Tuileries, ni l'austère majesté de Vincennes. Mais cela lui plaît. Le site est giboyeux, et le jeune roi y a souvent chassé. Les mauvaises langues, au premier rang desquelles

et au midi l'avant-cour du château. Quitte à subir modifications de détail et enrichissements, les façades sur cour du bâtiment sont préservées. Ce témoignage de piété filiale, que les successeurs de Louis XIV ne voudront ou ne pourront détruire, impatientera plus d'un architecte. C'est à ce respect de la bâtisse initiale que l'on doit la physionomie si particulière des façades qui accueillent aujourd'hui le visiteur venant de la place d'Armes, ces retraits successifs des bâtiments qui guident l'œil vers le corps central, le sanctuaire qui abrite

32

33

Saint-Simon, diront qu'il y trouve une retraite commode pour abriter ses amours avec Louise de La Vallière. C'est vrai. Mais surtout, le petit château de brique et de pierre, dont la modeste structure va peu à peu être submergée par des vagues successives de bâtiments nouveaux, offre à Louis XIV une merveilleuse opportunité : celle de marquer de son empreinte une résidence dont la modestie semble appeler des développements infinis.

La première campagne de travaux qui s'ouvre en 1661 affecte principalement l'extérieur du château et les jardins. Les modestes communs de Louis XIII sont reconstruits sur une échelle plus fastueuse, formant désormais deux ailes délimitant au nord

la chambre du Roi. Lors de cette première campagne, le décor intérieur subit lui aussi quelques aménagements. L'inventaire dressé en 1630 ne décrit quant à lui qu'un seul bel appartement : celui du roi, qui est tendu de tapisserie, et mentionne une petite galerie décorée d'une scène du siège de La Rochelle. Louis XIV modifie la distribution des appartements, commande des peintures à Errard et, soucieux du moindre détail, fait appliquer des filets d'or aux fenêtres de son antichambre et à celles de l'appartement de la reine. D'emblée, les dépenses sont considérables. Elles attirent les remontrances de Colbert qui voit d'un mauvais œil le Louvre négligé au profit d'une mai-

son qui «regarde bien davantage le plaisir et le divertissement de Votre Majesté que sa gloire». Et il conclut: «Ah ! Quelle pitié que le plus grand roi (...) fût mesuré à l'aune de Versailles !»

La passion avec laquelle Louis XIV embellit désormais son domaine semble s'exercer avec plus d'ardeur encore depuis la célèbre fête de Vaux en août 1661. En faisant au souverain les honneurs de son fastueux château alors presque achevé, le surintendant Foucquet a signé sa perte en même temps que l'acte de naissance du palais que va devenir Versailles. A Vaux, l'ordonnance des jardins ponctués de bassins et de jets d'eau, et les appartements aux riches plafonds, dont les voussures ornées de stucs et les peintures masquent les solives, ont fait sur le roi une impression considérable. Foucquet arrêté, les trois grands «Le» qui ont fait Vaux travaillent désormais à embellir Versailles: l'architecte Le Vau (auquel succède, à sa mort, Jules Hardouin-Mansart), le jardinier Le Nôtre, Le Brun enfin, le chef d'orchestre de la splendeur versaillaise. **Le roi donne sa première fête à Versailles en 1664, en l'honneur de Mademoiselle de La Vallière.** Tiré du *Roland furieux* de l'Arioste, le thème des «Plaisirs de l'Isle enchantée» est prétexte à maints divertissements qui ont principalement pour théâtre le jardin. Une nouvelle fête a lieu à l'été de 1668, au retour de la campagne victorieuse de Franche-Comté, démontrant à nouveau l'attachement du roi pour son domaine de Versailles. Aussitôt après, il décide de doubler le «château vieux» d'un nouveau bâtiment de pierre côté jardin. Dans cette enveloppe nouvelle s'élabore le grand décor voulu par Louis XIV. Au rez-de-chaussée, l'appartement des Bains déploie le luxe qui caractérise les appartements destinés au souverain : «Tous ces lieux, rappelle Félibien, sont pavés et enrichis de différentes sortes de marbres que le Roi a fait venir de plusieurs endroits de son royaume, où, depuis dix ans, l'on a découvert des carrières de marbre de toutes sortes de couleurs et aussi beaux que ceux que l'on amenait autrefois de Grèce et de l'Italie». *J. C.*

34. Ecole française du XVIIe siècle, *Louis XIV suivi du Grand Dauphin passant à cheval devant la grotte de Thétys* (détail), 1675, huile sur toile, 96 x 96 cm.

35. Jean Le Pautre, *Fête donnée par Louis XIV pour célébrer la reconquête de la Franche-Comté, à Versailles en 1674, représentation du Malade imaginaire,* de Molière, 1676, gravure, 28,6 x 42,3 cm.

35

LES GRANDS APPARTEMENTS

Au premier étage, les Grands Appartements s'ordonnent autour du thème des planètes qui gravitent autour du soleil, emblème du roi : au midi, celui de la reine, au nord celui du roi.

Le marbre et l'or y règnent sans partage. Leurs plafonds, livrés aux pinceaux de Gabriel Blanchard, de Charles de La Fosse, de René-Antoine Houasse, de Jean-Baptiste de Champaigne, de Noël Coypel, de Jouvenet et d'autres élèves de Le Brun, constituent un musée de la peinture française de la seconde moitié du XVIIe siècle, trop peu regardé. A cette splendeur s'ajoute celle des jardins dont les perspectives savantes se dessinent à travers les grandes croisées.

Achevé en 1680, l'escalier des Ambassadeurs, aujourd'hui disparu, est le somptueux frontispice de l'appartement du souverain. Entièrement lambrissé de marbres de couleurs, rehaussé de stucs, de bronzes dorés et de peintures en trompe-l'œil de Le Brun, il conduisait par une double volée de marches aux salons de Vénus et de Diane. Ornés avec le même faste, et les mêmes matériaux, ceux-ci donnent la mesure de la magnificence déployée sur le légendaire escalier. Les murs incrustés de marbres de couleur se renflent autour des portes en de puissantes moulures. Les portes elles-mêmes, de bois sculpté, peint et doré, sont surmontées de bas-reliefs de bronze doré découpés sur fond de marbre.

Toutes les pièces qui composent les Grands Appartements sont coiffées de plafonds à l'italienne, bombés et puissamment architecturés, comme ceux jadis admirés à Vaux. Des compartiments de formes variées, délimités par d'épaisses bordures sculptées de feuillages, s'ornent de peintures mythologiques et de scènes d'histoire ancienne en relation avec la divinité qui donne son nom à chaque salle. Ces scènes sont autant d'allégories des vertus du roi. Après Vénus et Diane viennent le salon de Mars ou salle des Gardes, dont la corniche et les écoinçons s'ornent de casques et de trophées guerriers, le salon de Mercure (antichambre), le salon d'Apollon. Grande chambre du roi tout d'abord, ce dernier se mue quelques années plus tard en salle du trône. L'imposant trône d'argent était disposé au centre du mur qui

Introduisant au Grand Appartement du Roi, les salons de Vénus et de Diane, naguère desservis par l'escalier des Ambassadeurs, en évoquent le luxe décoratif. Dorures, marbres polychromes, peintures, portes ouvragées, tel est le goût de Louis XIV, ami des plaisirs. Dans la salon de Vénus, les «soirs d'appartement», on remplissait les bassins d'argent de confitures et de fruits. Dans celui de Diane, on jouait au billard.

36. Jacques Rousseau, perspective en trompe-l'œil dans le salon de Vénus, huile sur toile marouflée.

37

38

37. Vue générale du salon de Vénus.

38. Buste de Louis XIV par le Bernin dans le salon de Diane.

fait face aux fenêtres. Faisaient suite, jusqu'à l'aménagement de la galerie des Glaces qui entraînera la destruction de ces trois salles, et entaillera le programme mythologique du grand appartement, le cabinet de Jupiter (cabinet du conseil), la chambre de Saturne (petite chambre du roi) et le petit cabinet du roi, qui constituait le premier salon de Vénus. Au sud, le Grand Appartement de la Reine se compose d'une salle des gardes (future antichambre du Grand Couvert) qui conserve encore six camaïeux d'esprit martial, d'une antichambre dédiée à Mercure (c'est l'actuel salon des Nobles), de la Grande Chambre placée sous l'invocation du Soleil (son décor peint a disparu dans les aménagements du XVIIIe siècle) et d'un grand cabinet d'angle, à l'emplacement de l'actuel salon de la Paix. Pendant de l'escalier des Ambassadeurs, quoique de proportions plus modestes, l'escalier de la Reine est reconstruit de 1679 à 1681 avec force marbres et dorures pour ne pas trop souffrir de la comparaison.

Les embellissements incessants que connaissent le château et le parc font écrire à Madame de Scudéry dans la *Promenade de Versailles* : «Je ne sais (...) si je dois dire à Télamon que dans six mois la description qu'il fera de Versailles sur les mémoires qu'il en a pris aujourd'hui, ne ressemblera presque plus, du moins pour les bâtiments du palais et de la ménagerie, car le roi a déjà donné les ordres pour en faire d'autres, incomparablement plus beaux». Les Grands Appartements se doublent

d'«appartements de commodités» ou appartements privés, dont la nécessité se fait sentir dès l'achèvement du Grand Appartement. Ils sont situés dans le château vieux, autour de la cour de Marbre. Etre reçu par le roi dans ses «derrières», selon le mot railleur de Saint-Simon, constitue un privilège insigne qui suscite chez les courtisans des jalousies féroces. En 1684, quelques mois après la mort de la reine Marie-Thérèse, le roi réunit son appartement de commodité à celui de la défunte, occupant ainsi tout le premier étage du château vieux. C'est dans ces «cabinets intérieurs», profondément modifiés au XVIIIe siècle, que Louis XIV déploie les fleurons de ses collections : gemmes, médailles, tableaux italiens de la Renaissance. Par opposition au Grand Appartement, voué aux rites officiels, l'Appartement du Roi est effectivement habité par le souverain. La vie quotidienne n'y est pas moins régie par une sévère étiquette. L'antichambre de l'Œil-de-Bœuf a conservé intact son décor blanc et or de 1701 et sa délicate frise d'enfants jouant avec des guirlandes sur un fond de treillage. Ici se réunissaient les courtisans avant de pénétrer dans la chambre voisine pour la cérémonie du lever et du coucher de l'astre royal. Réaménagée elle aussi en 1701, la chambre occupe le centre du château vieux. L'alcôve est fermée par une balustrade à l'intérieur de laquelle se tenaient le roi et les princes de sang lors des audiences solennelles. Elle est couronnée par un bas-relief doré de

39

40

Le Grand Appartement de la Reine a été conçu comme le pendant au sud de celui du roi. Seulement ce sont ici les héroïnes et les poétesses de l'Antiquité que font revivre les peintures. La salle des Gardes ne date que de 1680 quand ce magnifique décor de lambris de marbres et de dorures remplaça une chapelle utilisée depuis 1672.

Coustou : *la France veillant sur le sommeil du roi.* Côté jardin, les appartements du roi et de la reine étaient séparés par l'immense terrasse de Le Vau. Ornée d'un bassin en son centre, mais peu étanche, celle-ci sera comblée à partir de 1678 par la création de la galerie des Glaces. Longue de soixante-seize mètres, flanquée du salon de la Paix au midi et du salon de la Guerre au nord, elle conclut en forme d'apothéose la double enfilade des Grands Appartements. D'abord conçu comme une vaste allégorie sur le thème des *Travaux d'Hercule*, le programme iconographique en est modifié après la signature du traité de Nimègue : elle glorifie désormais sur sa voûte les hauts faits du règne de Louis XIV à son apogée. Délaissant

les allusions mythologiques, le roi apparaît en personne dans chacune des scènes. Il faut imaginer la Galerie et les salons attenants du temps de leur plus grande splendeur, garnis du célèbre mobilier d'argent envoyé à la fonte en 1689, tables, bassins, caisses d'orangers, bancs, torchères, chandeliers... Des niches abritaient certaines des plus belles statues antiques des collections royales. Pour les chapiteaux des pilastres de marbre, qui rythment l'immense vaisseau, Le Brun invente un «ordre français» où le soleil, le lys et le coq supplantent l'acanthe classique : Versailles s'est définitivement émancipé de ses modèles italiens. C'est ici désormais que le monde entier va venir prendre des leçons. ***J. C.***

39. Salle des Gardes de la Reine.

40. L'antichambre de l'Œil-de-Bœuf, donnant accès à la chambre du Roi.

41. L'escalier de la Reine.

PLAFONDS ET MOULURES

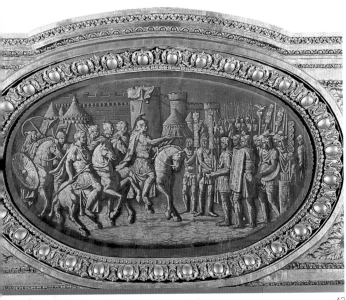

42

43

Dès la fin des années 1660
se fixent quelques-uns des principes
du décor allégorique :
«Le masque irradié, le mythe d'Apollon,
les cortèges des Heures, des Jours,
des Saisons ou des Eléments,
écrit Pierre Verlet, vont former
le fonds principal de l'iconographie
versaillaise.» De 1672 à 1678
se poursuivent les travaux
de décoration de l'appartement
des Planètes, celui du Roi dont tout
parle par allusions savantes.
Chaque plafond célèbre un astre
et les vertus de la divinité antique
qui y est associée. C'est un véritable
panorama de la peinture française
du temps : Le Brun, très tolérant,
intègre à l'équipe qu'il dirige aussi bien
le coloriste La Fosse que les plus austères
Audran, Noël Coypel ou Jean-Baptiste
de Champaigne. Compartimentés
de moulures vigoureuses et dorées,
les plafonds articulent différents thèmes
qui ont trait aux arts, aux sciences
ou à la guerre. La louange du roi,
même déguisée, est partout. Antichambre,
puis chambre de parade, le salon
de Mercure abritait, «les soirs
d'appartement», le Jeu du roi. **J. C.**

42. Plafond du salon
de Mars, médaillon
ovale de Claude II
Audran, *Jules César
passant ses légions
en revue.*

43. Plafond du salon
d'Apollon, écoinçon
de Charles de La Fosse,
l'Amérique.

44. Plafond
du salon de Mercure,
partie centrale
de Jean-Baptiste
de Champaigne,
*Mercure sur son char
tiré par deux coqs.*

En fond : plafond
du salon de Mars,
détail d'un amour
guerrier sur
un écoinçon.

LA CHAMBRE DE LOUIS XIV

45

46

C'est en 1701 que fut aménagée la nouvelle chambre de Louis XIV, au centre du château, dans l'ancien salon sur la cour de Marbre, où s'habillait le roi. Sur trois faces, l'ancien décor de 1679, rythmé de pilastres corinthiens, fut conservé. Les tableaux disposés dans l'attique sont tous du Valentin et représentent «les Quatre Evangélistes» et «le denier de César», à l'exception de «Agar au désert», œuvre de Lanfranco. Les quatre dessus de porte présentent un Saint Jean-Baptiste du Carraciolo, une Marie-Madeleine du Dominiquin et deux œuvres de Van Dyck, «le Marquis de Moncade» et un «Autoportrait». La face du lit fut transformée en fausse alcôve surmontée en son cintre d'une allégorie sculptée par Nicolas Coustou, représentant «la France triomphante veillant sur le sommeil du roi», tandis que dans les écoinçons, deux Renommées y proclament la gloire du monarque. L'ameublement d'été en brocart cramoisi et or a été retissé à Lyon de 1956 à 1979, d'après un brocart créé en 1731 pour Louis XV et conservé au Mobilier national. Cette étoffe a servi à refaire la tenture et les portières de l'alcôve, le lit à la française, deux fauteuils et des pliants dont les bois datent des années 1725-1735. La chambre présente encore, sur les cheminées, un buste de Louis XIV commandé à Antoine Coysevox en 1679, et une pendule de J. Thuret et A. C. Boulle. Ils sont encadrés par deux paires de girandoles à bouquets de lys dans des vases de marbre jaune de Sienne. C'est dans ce décor que Louis XIV mourut, le 1er septembre 1715. **Christian Baulez, conservateur en chef au musée national des châteaux de Versailles et de Trianon.**

En fond : le Chiffre du Roi, deux «L» entrelacés.

45 et 47. Vues générales de la chambre du Roi.

46. Antoine van Dyck, *Autoportrait*, dessus de porte, vers 1630, huile sur toile, 65 x 58 cm.

LA GALERIE DES GLACES

48

49

Des plafonds dont il dirige ou conçoit
la peinture, jusqu'à certaines
sculptures des jardins qu'il a dessinées,
des minuties du mobilier d'argent
jusqu'aux grandioses dispositions
de la galerie des Glaces, Charles Le Brun
(1619-1690) est, jusqu'en 1683,
le grand ordonnateur des décors
du château. La longue galerie construite
par Jules Hardouin-Mansart
à partir de 1678 prend jour par de hautes
fenêtres dont la lumière est décuplée
par les grands miroirs qui font face aux
ouvertures. Le salon de la Guerre,
avec le relief de Coysevox et ses trophées
militaires, introduit à la décoration
martiale de la galerie des Glaces.
Sa voûte compartimentée rappelle
les exploits diplomatiques et militaires
que Louis XIV, depuis 1661, a su attacher
au prestige de la France, contre les
puissances étrangères, l'Empire, l'Espagne
et la Hollande. Chacun de ces actes
glorieux est explicité par quelques lignes
en lettres d'or. Et si le langage allégorique
de Le Brun n'est pas sans obscurité,
la personne du roi, elle, se reconnaît
partout aisément, véhémente au plus
fort du combat ou solennelle dans les scènes
moins mouvementées. **J. C.**

En fond : torchère
de la galerie
des Glaces.

48. Salon de la
Guerre donnant
accès à la galerie
des Glaces.

49. Nicolas de
Largillière, *Charles
Le Brun, premier
peintre du roi*,
1686, huile sur
toile, 232 ×182 cm.
Musée du Louvre,
Paris.

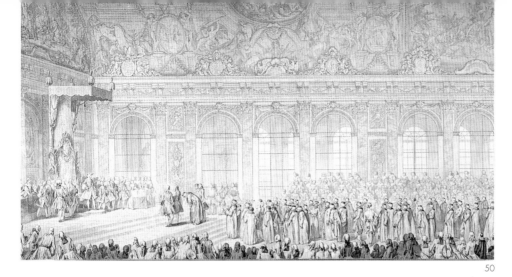

50

50. Charles-Nicolas
Cochin, *Audience
donnée par Louis XV
à l'ambassadeur
de Turquie en 1742,*
dessin.
Musée du Louvre,
Paris.

51. La galerie
des Glaces.

51

LA CHAMBRE DE LA REINE

52

53

De 1672 à 1789, trois reines et deux dauphines vécurent ici et accouchèrent, en public, de dix-neuf enfants. En revanche, un seul roi, le futur Louis XV, y naquit. Le décor fut entièrement refait pour Marie Leszczynska, de 1725 à 1735, sous la direction, entre autres noms célèbres, de l'architecte Robert de Cotte et du sculpteur François-Antoine Vassé. Au-dessus des deux portes, les deux tableaux peints en 1734 par Charles-Joseph Natoire et Jean-François de Troy représentent respectivement «la Jeunesse et la Vertu présentant les deux princesses à la France» et «la Gloire s'emparant des Enfants de France». Les nouvelles voussures du plafond, ornées par François Boucher, illustrent les vertus des reines : charité, abondance, fidélité et prudence. Marie-Antoinette, dernière souveraine à avoir occupé cette chambre, est représentée sur la cheminée par un buste en marbre, exécuté par Félix Lecomte, en 1783. Les portraits, tissés aux Gobelins, de sa mère, de son frère et de Louis XVI figurent dans les trumeaux des glaces. L'ameublement est proche de ce qu'il était en 1789. La pièce la plus ancienne est, entre les fenêtres, une pendule e n cartel de J. B. Baillon et Ch. Cressent. Le canapé et les pliants, exécutés par les Foliot, ont été livrés en 1771 et en 1773. On y a associé deux fauteuils de J. B. Tilliard, acquis en 1784 par le Garde-Meuble de la Couronne. **Christian Baulez, conservateur en chef au musée national des châteaux de Versailles et de Trianon.**

52. Louise-Elisabeth Vigée-Lebrun, *Marie-Antoinette et ses enfants*, 1787, huile sur toile, 275 x 215 cm.

53. Jean-Marc Nattier, *Portrait de la reine Marie Leszczynska*, 1748, huile sur toile, 146 x140 cm.

54. La chambre de la Reine.

En fond : chiffre brodé de la reine Marie-Antoinette.

LA VIE DE COUR :
DU PROFANE AU SACRÉ

La vie au château gravite autour de la personne du roi, selon une étiquette réglée comme un mécanisme d'horlogerie. «On n'avait qu'à savoir quel jour, quelle heure il était pour savoir ce que le roi faisait» note Saint-Simon. Eveillé à huit heures par son premier valet de chambre, suivi du premier gentilhomme de la chambre qui tire les rideaux du lit, le roi reçoit la visite de son premier médecin. Immuable, la cérémonie du lever se déroule en présence des «grandes-entrées» (princes de sang et grands officiers) puis des «petites-entrées».

et souvent également le lundi; conseil de Finances les mardi et samedi. Du temps de Madame de Montespan, le conseil a lieu avant la messe et le roi se rend chez la favorite au sortir de la chapelle, avant le «dîner». Madame de Maintenon, secrètement épousée par le roi en 1683, changera cette habitude : sous sa pieuse influence, le roi se rend à la messe avant de présider le conseil.

Des cinq chapelles successivement aménagées dans le château, celle de Jules Hardouin-Mansart, commencée en 1689 et achevée en 1710 par son beau-

56

Tous assistent à la toilette, à l'habillage et à la prière du roi. Puis a lieu une première séance de travail dans le cabinet du conseil qui ouvre directement sur la chambre. Le roi y donne ses ordres pour la journée, reçoit en audience, traverse tout le Grand Appartement pour se rendre à la chapelle où il assiste à la messe; puis il revient dans son cabinet pour le conseil : conseil d'Etat les dimanche et mercredi,

frère Robert de Cotte, est la plus riche et la plus majestueuse. Sa nef étroite et haute, qui, à l'extérieur, pointe ses combles au-dessus des longues façades à l'italienne, rappelle les proportions de l'art gothique; son décor de pierre sculptée, enrichi de dorures au maître-autel et de peintures à la voûte, contient déjà toute la délicatesse du XVIIIe siècle. Située au premier étage, la tribune royale communique avec les

57

Grands Appartements par un vestibule de pierre, le salon de la Chapelle. Le dîner est servi dans la chambre en présence de quelques membres de la famille royale : c'est le «petit-couvert». C'est ensuite l'heure de la promenade dans les jardins, à Trianon ou à Marly. En fin d'après-midi, le roi retrouve le cabinet du conseil pour une nouvelle séance de travail. Le soir, trois fois par semaine, il y a «appartement», c'est-à-dire réception de la Cour dans les Grands Appartements. On y danse, on y joue de la musique, parfois la comédie. Le jeu tient également une place très importante dans ces distractions, jeux de cartes ou billard principalement. Un buffet est dressé dans le salon de l'Abondance où les vases d'or et d'argent contenant boissons et sorbets répondent aux orfèvreries peintes en trompe-l'œil au plafond par Houasse. A dix heures, c'est le «grand-couvert» : le roi mange devant une nombreuse assemblée de courtisans, soit en compagnie de la reine, dans l'antichambre de celle-ci, soit dans sa première antichambre ornée de scènes de batailles de l'Antiquité par Parrocel. Une tribune aujourd'hui disparue reçoit les musiciens. Ce cérémonial s'achève avec le coucher du roi dont le déroulement est, à rebours, celui du lever. Cette rigoureuse division du temps versaillais se perpétue tout au long du XVIIIe siècle, avec quelques aménagements mineurs. Mais peu à peu, la rigide étiquette par laquelle Louis XIV était parvenu à museler sa noblesse perdra de son sens. *J. C.*

59

58

57. Ecole française du XVIIe siècle, *Madame de Lude, dame d'honneur de la duchesse de Bourgogne, servant une collation au duc et à la duchesse de Bourgogne*, gravure aquarellée.

58. Jean-Baptiste Oudry, *Nature morte au buste de l'Amérique* (détail), 1722, huile sur toile, 178 x 142,5 cm.

59. René-Antoine Houasse, détail du plafond du salon de l'Abondance, où étaient dressés les buffets royaux.

60

61

60. Antoine
Trouvain, *Buffet
dressé pour
la collation lors
des soirs
d'appartement
à Versailles*, 1696,
gravure.

61. Antoine
Trouvain, *Louis XIV
jouant au billard
lors des soirs
d'appartement
à Versailles*, 1694,
gravure.

LA CHAPELLE ROYALE

62

63

La chapelle actuelle, œuvre
de Jules Hardouin-Mansart, est dédiée
à Saint Louis. Les travaux commencent
en 1689 et se terminent sous la direction
de Robert de Cotte, en 1710. Suivant
la tradition des chapelles palatines,
la tribune centrale de l'étage est réservée
au roi, les tribunes latérales aux princes
et aux dignitaires de la Cour,
le rez-de-chaussée au reste des fidèles.
On y reconnaît le mariage de deux
traditions architecturales : l'élévation
(52 mètres sous la voûte), le tracé classique
souligné par les colonnes corinthiennes
de l'étage, les hautes fenêtres latérales
ajourant les murs, les gargouilles,
les arcs-boutants, les statues de la balustrade
sont en effet autant d'éléments de synthèse
entre le gothique et le style du grand siècle.
Les peintres chargés du décor sont les plus
talentueux académiciens français, gagnés
aux idées des modernes : au centre,
«le Père éternel dans sa gloire apportant
au monde la promesse du rachat»,
par Antoine Coypel, «la Résurrection
du Christ», par Charles de La Fosse
(dans le cul-de-four de l'abside),
«la Descente du Saint-Esprit sur la vierge
et les apôtres», par Jean Jouvenet (au-dessus
de la tribune royale), enfin des apôtres
représentés au plafond des tribunes latérales,
par Louis et Bon de Boullongne.
Le pavement de marbre polychrome
avec les armes des rois de France contraste
fermement avec la blancheur immaculée
des murs. Le maître-autel, dû à Van Clève
(à l'exception du tabernacle, réalisé
au XIXe siècle), fait scintiller l'espace
d'une tonalité d'or, ici fort légitime.

**Pascal Torres, conservateur au musée
national des châteaux de Versailles
et de Trianon.**

62. Vue d'ensemble
de la chapelle
royale prise
de la tribune.

63. Corneille
Van Clève,
*la Déposition de
croix*, 1708–1709,
bas-relief du maître-
autel, bronze doré,
61 x 219 cm.

En fond : Guillaume
II Coustou,
*la Visitation de la
Vierge et de Sainte
Elizabeth*, bas-relief
de la chapelle
de la Vierge, 1745,
bronze,
70 x 200 cm.

64. La chapelle
royale : vue
perspective
des vitraux.

AU TEMPS DE LOUIS XV

De même qu'ils modifient peu l'étiquette fixée par Louis XIV pour la vie de la Cour, Louis XV puis Louis XVI conserveront presque intacts les Grands Appartements. L'architecture solennelle et faste de leur aïeul semble avoir planté pour toujours le décor officiel de la monarchie. Seules exceptions majeures, Louis XV ordonne la destruction des deux ensembles les plus fastueux créés par Louis XIV : l'appartement des Bains et l'escalier des Ambassadeurs. Ce dernier, qui avait très tôt souffert de la concurrence de l'escalier de la Reine menant à l'appartement de la reine et à l'appartement intérieur du roi, avait, l'espace d'un moment, été transformé en théâtre pour Madame de Pompadour. Mais ces destructions ne sont pas sans contreparties, et on les pardonne plus aisément lorsque l'on sait que Louis XV nous a légué le décor du salon d'Hercule et l'Opéra. Commencé par Robert de Cotte trois ans avant la mort du Roi Soleil, le salon d'Hercule occupe l'emplacement de la quatrième chapelle du château. Orné de marbres, de stucs et de bronzes doré, il prolonge le faste du grand appartement dont il constitue, à l'exception de la galerie des Glaces, la plus vaste salle. Les plinthes, lambris et pilastres de marbres polychromes s'inscrivent dans le droit fil du décor louis-quatorzien, tandis que les agrafes des somptueuses bordures qui ornent les deux toiles de Véronèse, *la Rencontre d'Eliezer et de Rebecca* et *le Repas chez Simon*, sculptées par Jacques Verberckt, traduisent toute la fougue du style rocaille. Le plafond peint par François Lemoyne est d'un seul tenant et non compartimenté comme ceux des salons voisins (à l'exception du plafond du salon de l'Abondance), renforçant ainsi le caractère aérien de l'immense composition qui figure *l'Apothéose d'Hercule*. C'est aussi le triomphe de l'art rococo, avec ses regroupements fluides de personnages aux formes sinueuses, son coloris clair et lumineux et son dessin rond... Camper plus de cent-quarante figures sur une surface très inégalement éclairée, et ceci sous le regard de Véronèse, tient de la gageure. Pour son chef-d'œuvre, Lemoyne reçoit le titre de Premier peintre du roi, mais se suicidera peu de temps après. Achevé en 1736, le salon d'Hercule sera le cadre de quelques-unes des plus belles fêtes de Louis XV et Louis XVI.

Le médaillier de Gaudreaux (1738), les encoignures de Joubert (1775), les chaises de Foliot (1774) ont été à nouveau regroupés autour du fameux bureau à cylindre (1760-1769) conçu pour Louis XV par Oeben et Riesener dans un goût rococo assagi. C'est donc la physionomie qui prévalut entre 1769 et 1780 que retrouve aujourd'hui le cabinet d'angle du roi.

65. Cabinet d'angle du Roi.

66

67

66. Le Cabinet de la Pendule dans les Petits Appartements de Louis XV, avec le Grand Baromètre de J.-J. Lemaire.

67. Le Degré du Roi, escalier privé desservant les Petits Appartements de Louis XV.

Curieusement, Versailles doit attendre le milieu
du XVIIIe siècle pour se doter d'une salle de spectacle digne de lui. Auparavant, on se contente
d'aménagements éphémères, comme la scène dres-
sée dans l'appartement de Madame de Maintenon
pour distraire le roi à la fin de son règne. En 1748,
Louis XV charge Jacques-Ange Gabriel d'élever à
l'extrémité de l'aile nord, près des Réservoirs, une
vaste salle de spectacle. Retardés par la Guerre de
Sept Ans, les travaux s'achèvent en 1770 pour les
fêtes du mariage du dauphin, futur Louis XVI, et
de Marie-Antoinette. Entièrement construite en
bois sculpté peint en faux marbre et doré, l'opéra
de Versailles marque l'une des époques les plus
heureuses de l'architecture française, qui est aussi
celle du Petit Trianon, du même Gabriel. Au plafond, le peintre Durameau en une immense composition aérienne a représenté Apollon Musagète,
protecteur de la musique. *J. C.*

68

*L'opéra
de Gabriel
possède l'une
des meilleures
acoustiques
du monde.
La loge
grillagée,
au centre,
était réservée
au roi.*

69

68. Maurice
Quentin de la Tour,
Portrait de Louis XV,
non daté, pastel,
68 x 57 cm.
Musée du Louvre,
Paris.

69. La scène
de l'opéra royal.

70. Vue d'ensemble
sur les balcons.

LE SALON D'HERCULE

71

72

Le salon d'Hercule, dont les travaux
débutent en 1712, est rythmé
par de grands pilastres aux chapitaux
dorés. Achevé en 1736, l'art rococo
s'y manifeste dans le détail des bronzes
sous le ciseau élégant et fluide
de Vassé, et triomphe dans la peinture
de la voûte. Celle-ci n'est plus
compartimentée, à la manière des plafonds
du Grand Appartement, mais
remplit d'un seul élan une superficie
immense. Le thème est tiré des amours
des dieux : Hercule promis à l'éternité
reçoit des mains de Jupiter et de Junon
la jeune et gracieuse Hébé.
La grande composition aérienne
de Lemoyne, maître de Boucher
et de Natoire, suscitait encore l'admiration
des romantiques quand s'ouvrit
en 1837 le musée Louis-Philippe.
«La couleur de ce plafond, écrivait
Théophile Gautier, composé de cent
quarante-huit figures, est lumineuse,
aérienne, pleine de finesse
et de transparence; la touche libre,
hardie, spirituelle et vive, le dessin
coulant et gracieusement contourné;
(...) tout vole, tout s'élève et plafonne
avec une légèreté prodigieuse.
Les raccourcis outrés qu'exige
la perspective ne s'aperçoivent pas tant
ils sont adroitement ménagés.» **J. C.**

71. Vue générale
du salon d'Hercule.

72. Antoine Vassé,
Tête d'Hercule,
ornement central
de la cheminée.

73. François
Lemoyne,
*l'Apothéose
d'Hercule,* détail
du plafond.

En fond : détail
du cadre entourant
le tableau de
Véronèse : *la
Rencontre d'Eliezer
et de Rebecca.*

VERSAILLES ROCOCO

74

75

*A partir de 1747, Louis XV,
au prix de grandes transformations,
décide d'établir au rez-de-chaussée
du corps central le Dauphin
son fils et la Dauphine, mais aussi
ses filles, Mesdames Adélaïde et Victoire.
Le grand raffinement de l'art du temps,
qui prévilégie les tons clairs et les légères
arabesques, se déploie dans ces salles dont
une scrupuleuse restauration
(1978-1986) a restitué la fraîcheur.
Au centre de la bibliothèque du Dauphin
on voit encore le bureau aux lignes
sinueuses livré par Bernard van Ryssen
Burgh en 1745. La Dauphine s'entoure
aussi de la production des meilleurs
artistes de l'époque. Plusieurs paysages
d'Oudry viennent s'insérer dans les fines
boiseries peintes en vernis Martin.
On fait beaucoup de musique à Versailles
sous Louis XV: ses propres filles sont
des instrumentistes accomplies.
Il se peut que l'orgue placé dans
le Grand Cabinet de Madame Adélaïde
lui ait effectivement appartenu. Nattier
a représenté celle-ci tenant un livre
de musique, de même que sa sœur
Henriette jouant de la basse de viole.* **J. C.**

74. Jean-Marc Nattier
*Madame Henriette
jouant
de la basse de viole,*
1754, huile sur toile,
246 x 185 cm.

75. Jean-Marc Nattier
*Madame Adélaïde,
tenant un livre
de musique,* 1754,
huile sur toile,
222 x 148 cm.
Musée du Louvre,
Paris.

En fond : orgue
d'appartement
du XVIIe siècle, dans
le Grand Cabinet de
Madame Adélaïde.

76. Chambre
de la Dauphine Marie
Josèphe de Saxe.

LES MUTATIONS DU XVIIIe SIÈCLE

A côté de ces réalisations monumentales, le XVIIIe siècle s'attache à parfaire et à développer les appartements, à commencer par celui du roi. A partir de 1738, Louis XV, qui conserve les antichambres et la chambre de Louis XIV, fait modifier l'appartement intérieur. Une nouvelle chambre est créée, avec un «cabinet de garde-robe» attenant, dont la chaise à l'anglaise est dotée de robinets et d'une soupape. Devenu cabinet de travail, le cabinet intérieur du roi reçoit en 1753 de nouvelles boiseries de Verberckt. On y admire toujours l'étonnant médailler de Gaudreaux, auquel furent ajoutées deux encoignures assorties, et le célèbre bureau à cylindre d'Oeben et Riesener. A ces salles neuves, Louis XVI ajoute une bibliothèque, dernier ouvrage de Gabriel et retraite favorite du roi. Non content de ses aménagements, Louis XV, dans un désir toujours plus grand d'intimité, fait aménager au deuxième étage une enfilade de petites pièces auxquelles il accède par un escalier privé, le «Degré du roi». Ce sont les «Petits Appartements» qui, bientôt, se prolongent au troisième étage. Des terrasses, des volières garnies de fontaines et de fleurs agrémentent cet univers confortable et secret où Louis XV loge également sa maîtresse du moment : Madame de Mailly, Madame de Chateauroux, Madame de Pompadour ou Madame du Barry, qui en sera délogée par Louis XVI. Du côté de l'appartement de la reine, Marie-Antoinette, suivant l'exemple de Louis XV, fait aménager à partir de 1782 un petit appartement au rez-de-chaussée de la Cour de Marbre, dont les travaux se poursuivent encore en 1790. Elle embellit également son appartement intérieur du premier étage. Le cabinet de la Méridienne et le cabinet intérieur, dont les boiseries des frères Rousseau semblent ciselées dans du métal, sont les plus beaux exemples de ce néo-classicisme virtuose et gracile qui caractérise le goût de la reine. Les recherches érudites et les travaux de restauration entrepris ces dernières années ont permis de retrouver, par-delà les altérations du XIXe siècle, ces appartements dérobés où l'on échappait à la grandeur et à l'étiquette implacable voulue par Louis XIV. Un autre Versailles. *J. C.*

78

79

77. Cabinet intérieur de Marie-Antoinette : le Cabinet doré.

78. Cabinet de la Méridienne.

79. Appartement de Mme de Barry : la bibliothèque.

L'état des cabinets intérieurs de la reine date de Marie-Antoinette. «La Méridienne» témoigne même précisément de la naissance du Dauphin, en 1781, événement capital que les bronzes autour des glaces évoquent à leur façon.

LA RESTITUTION DES TISSUS

La restitution de Versailles dans son aspect palatial nécessite le retour des meubles et objets d'art l'ayant orné autrefois, mais aussi le retissage des tissus anciens. Grâce aux soyeux, passementiers, brodeurs dont les fabriques remontent souvent au XVIIIᵉ siècle, les difficultés techniques peuvent être généralement résolues. Et si la main-d'œuvre est plus coûteuse aujourd'hui, car plus rare, la matière première est moins onéreuse qu'autrefois. Avant tout, il convient de choisir l'époque et la saison que l'on désire reconstituer. Il y avait, en effet, un «meuble» d'hiver et un «meuble» d'été. Le hasard et la logique ont voulu que l'on adopte presque partout l'état d'été. En effet, lors de la reconstitution, après la dernière guerre, de la chambre de Marie-Antoinette, on disposait du «meuble» d'été exécuté en 1786 par Desfarges à Lyon sur un dessin de Bony, conservé et réemployé sous l'Empire. Son exacte reproduction fut ainsi rendue possible et complétée par la découverte aux Etats-Unis de la courtepointe du lit et l'existence d'une gouache représentant son grand dossier, qui en permit la broderie à l'identique. Le règne de Louis XVI est celui pour lequel on conserve le plus de documents et d'échantillons sûrs. Archives, échantillons conservés au Mobilier national ou soieries restées sur place sont indispensables à toute tentative de reconstitution. Parmi les réalisations effectuées ou en cours d'achèvement, les plus satisfaisantes sont naturellement celles exécutées à partir d'échantillons connus : la chambre de la Reine, son boudoir d'entresol ou billard en broché (1779), la chambre de Louis XVI en brocart (1785), le brocart du salon des jeux de Louis XVI (1785) ou les damas à motifs ton sur ton plus simples à exécuter du Grand Appartement du Roi (1742), du salon des Nobles de la Reine (1785) ou de la salle à manger des Porcelaines (1786). Plus complexe est le choix du tissu quand le mobilier n'est plus celui originellement conçu pour la pièce où il se trouve : c'est le cas des sièges placés dans la bibliothèque de Louis XVI. Livrés en 1791 pour le salon des jeux du Roi à Compiègne, ils étaient recouverts de Pékin peint; ceux de la bibliothèque offraient le même tissu en 1785, non le même dessin. Il a paru sage de traiter rideaux et paravents d'après le Pékin de Versailles et les sièges d'après celui de Compiègne, même si l'ensemble peut paraître hétérogène. Ces quelques remarques disent assez les problèmes soulevés par la restitution des décors anciens, qui exige autant de prudence que de patience.

Daniel Meyer, conservateur en chef honoraire au musée national des châteaux de Versailles et de Trianon.

80

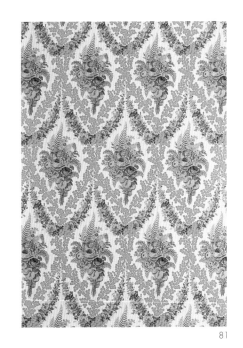

81

82

AUX GLOIRES DE FRANCE

Dès 1833 Louis-Philippe décide de rendre à Versailles son ancienne splendeur mais pour y abriter, avec un sens tout romantique de l'histoire, la mémoire du passé national.

Le 5 septembre 1833, Louis-Philippe dévoile dans «Le Moniteur» son plan d'un nouvel aménagement du château : il y réunira portraits, tableaux historiques et sculptures propres à évoquer l'histoire nationale. L'idée des galeries historiques n'est pas alors toute nouvelle. Dès les débuts de la Restauration, un professeur nommé Jussieu, le peintre Dusaulchoy et Alliez, membre de la Commission de l'Instruction Publique, ont déjà proposé un *Cours d'histoire générale* par tableaux confié à des peintres comme Blondel ou Ansiaux, chargés de rendre «presque ineffaçable» la trame de l'histoire nationale. Ce projet tourne court, bien qu'il s'inscrive dans un courant pédagogique fort actif, mais l'immense livre ouvert de Versailles en est une retombée. Les architectes Fontaine et Nepveu remanient intégralement les intérieurs des deux ailes dont les appartements princiers sont transformés en enfilades iconographiques : seuls les Grands Appartements et les cabinets intérieurs sont intouchés. Les historiens Vatout et Trognon aidés du directeur des musées Forbin, dressent des listes d'œuvres. En sortiront des ensembles homogènes (comme la galerie des Batailles, les salles de 1792, de 1830, du Sacre, des Croisades ou des États-Généraux) ou d'autres thématiques et chronologiques (comme les salles des marines, rois, reines, connétables, maréchaux,

Commandé par Louis-Philippe, le tableau montre le roi au millieu de ses fils; la statue de Louis XIV au loin rappelle le modèle de toute grandeur royale.

83. Horace Vernet, *le Roi Louis-Philippe et ses fils à cheval devant la grille du château de Versailles*, 1846, huile sur toile, 367 x 394 cm.

83

amiraux…). La collection d'œuvres d'art ainsi rassemblée est impressionnante (plus de six mille œuvres), faite des anciennes collections royales ou impériales auxquelles viennent s'ajouter copies et moulages effectués tant à partir des grandes collections étrangères (Rome, Vienne ou Madrid) que d'ensembles français (châteaux d'Eu, Bussy Rabutin, Beauregard), ainsi que des figures dont la fantaisie est dérivée de gravures incertaines. Ce que célèbre cet ensemble, c'est l'histoire nationale, glorieuse bien sûr, sans qu'il y soit tenu compte de la valeur artistique du document : le chef-d'œuvre côtoie la croûte. Si, comme Louis XIV, Louis-Philippe use ici de l'art pour servir le politique (son ambition est de réconcilier toutes les familles de pensée), il ne s'y fait pas le serviteur de la création avec la même exigence, malgré sa culture, son goût de l'histoire et son hérédité de collectionneur. Dans ce fonds ancien, les portraits sont très nombreux : extraordinaire album de famille du XVIe siècle rassemblé par Gaignières, membres de toutes les Académies royales, chevaliers de l'ordre du Saint-Esprit, etc. Mais ce sont surtout les effigies royales et princières qui sont le fleuron de cet ensemble, œuvres d'artistes aussi diversement inspirés que Nocret ou Beaubrun, Mignard et Rigaud, puis, au XVIIIe siècle, de familles entières (Nattier, Van Loo, Drouais), et encore, à la veille de la Révolution, de Mesdames Vigée-Lebrun ou Labille-Guiard : quelle dynastie a su laisser d'elle-même une iconographie d'une telle qualité ? d'une invention telle que les solutions en seront reprises par toute l'Europe au XVIIIe siècle ? Quels tableaux plus célèbres que le *Louis XIV* de Rigaud, telle fille de Louis XV par Nattier ou *Marie-Antoinette et ses enfants* peinte par Vigée-Lebrun ? Psychologie, réalisme, apparat ou allégorie trouvent ici leur expression la plus variée faite de rigueur ou de virtuosité, d'autorité ou de douceur. **La peinture d'histoire y apparaît, paradoxalement, moins riche, puisque n'y figurent guère que des batailles : le grand genre y fait défaut, de même que les prestiges de la peinture de genre.** Le Versailles de Louis-Philippe n'abrite ni Poussin ni Chardin. Il est pourtant un ensemble qui reflète parfaitement l'histoire et le climat artistique d'une époque : ce sont les salles consacrées au Directoire, au Consulat et à l'Empire qui ont conservé aujourd'hui leur esprit original, malgré quelques

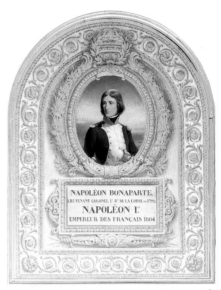

84

85

86

84. Félix-Emmanuel Philippoteaux, *Bonaparte, lieutenant colonel au premier bataillon de Corse en 1792*, 1834, huile sur toile, 80 x 65 cm, salle de 1792.

85. Félix Amiel, *Jean-Baptiste Bernadotte en uniforme de lieutenant au 36e Régiment de ligne en 1792*, 1834, huile sur toile, 72 x 55 cm, salle de 1792.

86. Joseph Désiré Court, *Gilbert Motier, marquis de La Fayette, en 1792*, 1834, huile sur toile, 135 x 100 cm, salle de 1792.

mouvements de collections. Là encore, les portraits y sont nombreux : on en retiendra l'anecdote familiale chez Menjaud, la centaine de tableautins provenant de l'atelier de Gérard qui présentent les familles régnantes et les dignitaires de l'Empire et de la Restauration, mais aussi telle figure de Chateaubriand par Girodet (achetée au début de ce siècle) que Bonaparte n'hésita pas à comparer à celle d'un ramoneur. L'événement y a tout autant sa place. Immense, avec le *Serment du Jeu de Paume* de David où le message politique est signifié par l'exigence académique et une vigueur toute moderne. A côté, la chronique : celle du baron Lejeune, militaire, brillante, porcelainée pour les guerres d'Egypte, d'Italie ou d'Espagne; celle, plus contenue, de la vie de la cour, par Garnier ou Casanova (pour le mariage de Marie-Louise), ou Rouget (pour la présentation officielle du Roi de Rome). Et surtout l'épopée commandée par un empereur soucieux autant de qualité que de propagande : grands tableaux politiques de David (*Couronnement* dans une deuxième version et *Serment de l'armée*), célébration du chef militaire stratège à Austerlitz (Lejeune), blessé à Ratisbonne (Gautherot) entrant à Berlin (Meynier), diplomate à Tilsitt (Berthon), clément au Caire (Guérin) : partout, des figures monumentales, colorées, expressives qui rompent avec l'esprit du néo-classicisme archéologique. Pour convaincre «son» public, Louis-Philippe fait de

grandes commandes. Les salles des Croisades rappellent à ses nostalgiques un Moyen Age religieux, plus historique que littéraire, organisé en salles néo-gothiques où l'on fait appel au vieux Blondel amateur de détails orientalistes (*la Ville de Ptolémaïs remise à Philippe Auguste et à Richard Cœur de Lion le 13 juillet 1191*) ou au jeune chef de file belge Gallait à la monumentalité beaucoup plus ambitieuse (*Baudouin comte de Flandre couronné empereur à Constantinople le 16 mai 1204*). Intégralement conservée dans l'aile du midi, dite des Princes, la galerie des Batailles reste le point d'orgue de cette entreprise. Trente-trois victoires y racontent l'histoire de la prise de conscience nationale à Tolbiac, de la guerre de Cent Ans, de Napoléon. Vernet, les Scheffer, Gérard ou Larivière y centrent leurs grandes pages sur le héros cavalier, en illustrateurs sages bien éloignés du fougueux Delacroix (*Bataille de Taillebourg*).

Le 10 juin 1837, Louis-Philippe ouvre le musée de Versailles dédié «à toutes les gloires de la France» en pleine effervescence romantique; mais c'est la réserve du ton et la recherche iconographique qui priment dans toute l'évocation de son règne, ainsi que dans celle des événements de 1830 : la vigueur plastique du romantisme fait place à l'apparente prudence de la génération suivante. **Claire Constans, conservateur en chef au musée national des châteaux de Versailles et de Trianon.**

Exposée dans les salles consacrées à la Révolution, l'ébauche de la fameuse composition de David, dont on voit ci-dessus le dessin d'ensemble, a inspiré la décoration de la salle du Jeu de Paume, que l'on visite non loin du château.

87. Jacques-Louis David, *le Serment du Jeu de Paume à Versailles le 20 juin 1789*, 1791, dessin, 400 x 660 cm.

LA GALERIE DES BATAILLES

88

89

En 1837, Louis-Philippe inaugure le musée
dédié à «toutes les gloires de la France»,
avec en particulier, au premier étage
de l'aile du Midi, une immense galerie
retraçant sommairement l'histoire militaire
de la France. Les invités ne peuvent
«se lasser d'en admirer les belles proportions,
et les riches ornements».
De conception architecturale nouvelle
et dotée d'une charpente métallique
compliquée, elle est éclairée par une verrière
zénithale, qui est une sorte de concrétisation
des projets d'Hubert Robert pour
la Grande Galerie du Louvre. De Clovis
à Napoléon, l'histoire s'y lit de gauche
à droite avec, mis en valeur, les noms
de Tolbiac, de Poitiers, de Bouvines,
de Marignan, de Rocroi, de Yorktown,
de Rivoli ou d'Austerlitz. L'histoire
événementielle met en évidence, au centre
de la composition, parmi les héros,
les cavaliers, les états-majors ou les blessés,
le chef ou le souverain légitime
qui préfigure le nouveau roi des Français.
Les artistes sont choisis parmi les auteurs
des grandes décorations parisiennes
contemporaines (en particulier les églises)
comme Alaux ou les frères Scheffer.
On remarque surtout Delacroix,
avec une «Bataille de Taillebourg» fougueuse
qui fait partie d'une série importante
se rapportant à la guerre de Cent Ans,
et Horace Vernet, auteur de cinq tableaux,
au style beaucoup plus modéré.
Heim et Bard ont laissé des tableaux
rappelant les fêtes de l'inauguration
de la galerie des Batailles. **C. C.**

90

88. Décor
du plafond
de la galerie
des Batailles.

89. Jean-Auguste
Bard, *Inauguration
de la galerie des
Batailles par Louis-
Philippe, le 10 juin
1837* (détail),
huile sur toile,
66 x 30 cm.

90. Vue générale
de la galerie des
Batailles.

En fond : caisson
du plafond.

9

91. Eugène Delacroix, *la Bataille de Taillebourg, le 21 juillet 1242*, 1841, huile sur toile, 485 x 555 cm.

Ce combat de Saint Louis contre Hugues de Lusignan, vassal rebelle allié au roi d'Angleterre Henri II, est *relaté par le sire de Joinville dans son «Histoire de Saint Louis». Le roi y est particulièrement mis en valeur* *sur son cheval blanc, avec une composition un peu plus tassée que dans l'esquisse qui en est conservée au Louvre.* *L'artiste semble d'ailleurs avoir été mécontent de cette solution imposée par le cadre rigide de la galerie des* *Batailles, soulignant que son tableau n'était que trop historique pour figurer au milieu d'œuvres* *d'illustration : c'est cet aspect dramatique que certains critiques lui reprochèrent au salon de 1837. C. C.*

92

92. Anne Louis Girodet, *Révolte du Caire, le 21 octobre 1798*, 1810, huile sur toile, 365 x 500 cm.

Exposé au salon de 1810, ce tableau évoque les rassemblements populaires séditieux du Caire.

Commandant la place, le général Dupuy voulut les dissiper. Il fut assassiné, ainsi que quelques officiers.

On battit donc la générale pour réprimer le mouvement. Girodet adopte ici un style coloré qui rappelle

celui de Gros dans l'immense «Bataille d'Aboukir», également conservée à Versailles, dans la salle

du Sacre. Les figures sculpturales montrent sa profonde culture académique et classique,

mais on sait que l'Europe entière admira la nouveauté de sa sensibilité et de ses recherches sur la lumière. C. C.

LES COLLECTIONS DE L'ACADÉMIE

93

94

*Dès 1648, année de sa fondation,
l'Académie s'est préoccupée de réunir
des collections d'œuvres d'art pour éduquer
les élèves. Continuellement enrichies
jusqu'à la fermeture de l'institution
en 1793, elles étaient constituées de dons,
de Prix de Rome, et surtout des morceaux
de réception, sur présentation desquels
un artiste était admis au sein
de l'Académie. Cet ensemble fut,
pour l'essentiel, intégré aux collections
nationales au Muséum central.
Il est aujourd'hui réparti entre le Louvre,
le château de Versailles, l'Ecole Nationale
des Beaux-Arts et quelques musées
de province comme ceux de Tours
ou de Montpellier. L'imposant Portrait
de Louis XIV, peint par Testelin
en 1666, rappelle la protection apportée
par le souverain à l'Académie. Le château
de Versailles conserve un grand nombre
de morceaux de réception évoquant
l'histoire de France : des portraits
d'hommes politiques, comme «Colbert»
par Lefebvre ou «l'Abbé Terray» de Roslin,
d'académiciens comme «Perrault»
par Lallemand ou «Hardouin-Mansart»
par François de Troy. Il faut y ajouter
plusieurs tableaux relatant un événement
historique, comme «la Bataille
de Maestricht» de Parrocel,
et des interprétations allégoriques
telle «la Révocation de l'édit de Nantes»
de Vernansal, qui ont pu être intégrées
au décor des Grands Appartements sous
Louis-Philippe.* **Thierry Bajou, conservateur
au musée national des châteaux de Versailles
et de Trianon.**

95

93. Alexandre
Roslin, *Portrait
de l'abbé Terray*,
seconde moitié
du XVIIIᵉ siècle,
huile sur toile,
129 x97 cm.

94. Claude
Lefebvre, *Portrait
de Jean-Baptiste
Colbert*, 1666,
huile sur toile,
138 x 113 cm.

95. Guy-Louis
Vernansal, *Allégorie
de la révocation
de l'édit de Nantes
par Louis XIV le
18 octobre 1685*,
huile sur toile,
142 x 180 cm.

En fond : détail
du tableau de
Testelin évoquant la
protection apportée
par Louis XIV
à l'Académie.

JARDINS D'APOLLON

*Les jardins de Versailles ne sont
pas moins ordonnés que le château :
allées et bosquets intimes sont peuplés
de divinités, symboles des forces
vives de la nature.*

C'est un petit relais de chasse de Louis XIII qui a donné naissance à Versailles. La plupart des grands châteaux royaux sont nés au voisinage direct d'une forêt giboyeuse pour permettre au souverain de pratiquer son plaisir favori : ainsi Fontainebleau, Saint-Germain-en-Laye, Compiègne, Villers-Cotterêts. A Versailles plus encore qu'ailleurs, l'extérieur comptera davantage que l'intérieur durant de longues années, et le château restera de proportions relativement modestes jusqu'à la construction de «l'enveloppe» de Louis Le Vau à partir de 1669, alors que les jardins connaissent les débuts de leur développement dès 1662.

André Le Nôtre, engagé par Louis XIV au lendemain de l'arrestation de Foucquet – pour lequel il avait tracé le parc de Vaux-le-Vicomte –, trouvait le site de Versailles déjà structuré par ses prédécesseurs, Jacques de Menours, Jacques Boyceau et Claude Mollet. On y trouvait un axe central, coïncidant avec celui du château, qui dévalait la pente marécageuse en direction de l'ouest, coupant le ruissellement d'un petit cours d'eau issu des égouttures du plateau de Satory, le rû de Gally : quelques boqueteaux, des cultures, des buissons, des nappes d'eaux dormantes, où Mollet avait tracé des avenues secondaires dessinant un tracé géométrique autour de l'axe principal. Reprenant ce tracé primitif, Le Nôtre ordonne le paysage selon une subtile

96. Bassin nord
du parterre d'eau,
allégorie
de la Seine
par Le Hongre.
© Serge Chirol.

96

progression que les hommes du XVIIe siècle étaient mieux que nous à même d'apprécier. A nos yeux, la sauvagerie de la nature et du monde tout entier ne s'exprime plus depuis longtemps dans le cercle géographique des pays tempérés; il faut chercher l'inhospitalier et l'étrange dans la forêt amazonienne, dans les glaces arctiques ou dans les espaces intersidéraux. A l'époque classique, c'est encore la forêt d'Ile-de-France qui offre des espaces de nature vierge où l'homme affronte les bêtes fauves dans un combat où le plaisir se mesure au danger.

Et c'est dans cette forêt où il s'introduit pour la chasse qu'il se trouve tout naturellement en familiarité avec les grands mythes de l'Antiquité grecque fondés sur l'éternelle confrontation de l'homme et des puissances de la création, sensible dans l'ombre sauvage des taillis, invisible dans la lumière policée des villes. Ainsi trois zones sont clairement définies à partir du château, l'aire des jardins découverts, celle des bosquets et celle de la forêt. La première constitue l'environnement direct de l'édifice. Elle est totalement dégagée,

offerte librement au soleil, à la lumière, à la vue, et s'inspire aussi des défenses stratégiques qui imposent l'éloignement maximal des couverts où l'ennemi peut s'embusquer. Une série d'esplanades emboîtées les unes dans les autres a été ménagée ici par Le Nôtre au prix d'immenses travaux de terrassement et de drainage, pour faire d'un maigre coteau un vrai plateau coupé d'étages successifs. **L'harmonie savante des niveaux et des perspectives fait toute la beauté des jardins de Versailles.** Au pied des marches de la terrasse, déployée comme une estrade devant le corps central du château, on trouve la pièce maîtresse du dispositif, longtemps pensée, maintes fois modifiée, et qui donne le ton à l'extrême nouveauté que le roi veut imposer : non pas des broderies, des fleurs, un bassin, des statues, mais un «parterre d'eau». L'appellation interpelle l'usager et l'amateur. Sous les grandes croisées de la galerie des Glaces par lesquelles le parc entier vient se refléter dans les grands miroirs verticaux, Le Nôtre dispose deux grands miroirs horizontaux destinés à

réfléchir le ciel tout entier. Tout un système optique est ainsi planté, subtilement relevé par de précieux repères visuels, repères verticaux (les vases de la paix et de la guerre) ou horizontaux (les admirables figures de bronze des fleuves et des rivières).

Les deux axes principaux se croisent sur la terrasse au sortir de la galerie basse; vers l'ouest, le bassin de Latone, le Tapis vert, le bassin d'Apollon, le grand canal, les peupliers de l'Etoile royale; vers le nord, le parterre du Nord, l'allée des Marmousets,

le bassin de Neptune; vers le sud, le parterre du Midi, l'Orangerie, la pièce d'eau des Suisses. C'est à ce point central que commence la promenade décrite minutieusement par le roi lui-même dans sa *Manière de voir les jardins de Versailles*. Les parterres du Nord et du Midi sont dessinés pour offrir une image diversifiée de leurs buis taillés enserrant des compartiments fleuris depuis les niveaux supérieurs : le premier étage des appartements du château, vision privilégiée, les terrasses au pied du château, ou les allées en terrasse qui ceinturent les parterres eux-mêmes. Ici, la magnificence royale se traduisait par le renouvellement perpétuel de la floraison, quelle que soit la saison. Il faut s'en tenir aujourd'hui, plus économiquement, à une seule floraison annuelle, soigneusement entretenue par les jardiniers de Versailles d'avril à octobre. Pourrait-on programmer le retour aux espèces décrites dans les documents contemporains ? C'est ce que les études menées actuellement sur le parc permettront de décider. En descendant les rampes de Latone, on accède,

98. Le bassin du printemps, ou de Flore. © Serge Chirol.

99. La fontaine du buffet d'eau, de Mansart, dans le parc du Grand Trianon. © Anne Gaël.

101

102

100. Le bassin
de Flore.
© Serge Chirol.

101. Bosquet
des Bains d'Apollon,
Girardon
et Regnaudin,
*Apollon servi
par les Nymphes*,
groupe de marbre
provenant de la
grotte de Thétis.

102. Le Belvédère,
dans les jardins
du Trianon.
© Serge Chirol.

103. Le Temple
de l'Amour, dans les
jardins du Trianon.
© Serge Chirol.

103

de part et d'autre, au monde enchanté des bosquets, déjà deviné depuis le parterre d'eau, derrière les belles fontaines des cabinets d'eau, garnis de groupes de bronze figurant des combats d'animaux. Venus de la tradition italienne adoptée en France sous les derniers Valois et sous Henri IV, avec la mode des grottes et des jeux d'eau animés par de célèbres ingénieurs florentins, les Francini, les bosquets sont, dans le sens versaillais du terme, des salons ou cabinets de verdure où la Cour s'assemble pour des festivités diverses : concert, collation, bal, comédie. Habitués à une vie en plein air, le roi et la Cour vivent alors davantage dehors que dedans. Il y a les parterres pour se promener, les bosquets pour se divertir, et la forêt pour chasser.

Aussi les bosquets ont-ils été composés pour le plaisir des yeux, la surprise, l'émerveillement des effets inattendus et des eaux jaillissantes. Ceux de la première génération, dans les années 1660-1670, étaient les plus étonnants. Tout comme la grotte de Thétis, détruite dès 1684, ils participaient au décor des grandes fêtes de la jeunesse et de l'amour, les «Plaisirs de l'isle enchantée» en 1664 ou le «Grand divertissement royal» de 1668. Il nous reste aujourd'hui le Bosquet de l'Encelade (1675), animé d'un étrange souffle baroque, avec son colosse de plomb écrasé sous les rochers et jetant un dernier cri contre Jupiter, maître des dieux et vainqueur des géants. Réduit maintenant à son bassin central, ce merveilleux ensemble doit

104. Charles Lebrun,
les Quatre Eléments :
pierre noire et lavis
d'encre de Chine.

105. Les statues
en marbre blanc dans
les allées du parc.
© Serge Chirol.

106. Boileau, *Plan
général du Petit Parc
et des jardins de
Versailles avec
les environs*, 1744,
encre de Chine
rehaussée d'aquarelle,
96 x 118 cm.

être restitué comme il était, avec son promenoir
octogonal de treillages ornés d'arcs de triomphe
et ses petites fontaines. Une travée-témoin a été
inaugurée en 1990 par Jack Lang. Il faut pour-
suivre l'effort et solliciter la participation de tous
les amateurs de jardins.

D'autres bosquets sont dans un état plus proche
de leur création, mais demandent encore, pour la
plupart, des travaux de restauration : l'admirable
salle de Bal (les rocailles), les Dômes (où man-
quent toujours les pavillons de marbre ornés de
bronze doré), la Colonnade, nettoyée et pourvue
à nouveau du groupe de *Pluton enlevant Proserpine* par Girardon. Au-delà du parterre du Nord,
deux bosquets ont disparu depuis longtemps et
mériteraient eux aussi une spectaculaire et coûteuse résurrection, les Trois Fontaines et l'Arc de
Triomphe. Quant aux Bains d'Apollon, c'est une
création du préromantisme, signée Hubert Robert.
**Avec leurs statues, leurs fontaines, leurs eaux,
les bosquets s'organisent dans un univers de
nature maîtrisée,** treillages, charmilles, arbres.
La hauteur des charmilles, la taille des arbres,
telles qu'on les voit sur les dessins ou les gravures
de Silvestre ou de Pérelle, les gouaches ou les
huiles de Cotelle ou de J. B. Martin, répondaient
à un ordre rigoureux des proportions verticales, à
une harmonie des tissus végétaux, à un jeu de
l'ombre et de l'ensoleillement, à une maîtrise des
perspectives enfin, dont les jardins de Versailles
ne nous donnent plus aujourd'hui qu'une image
abâtardie, due à l'évolution du goût et plus encore à l'abandon du végétal à son foisonnement naturel, tant par manque de moyens financiers que
par un refus inavoué de revenir autoritairement
à un état historique. Les jardins de Trianon
présentent un ensemble plus complexe.

Les célèbres parterres de fleurs qui s'harmonisent
avec les marbres colorés des façades s'encadrent
de quelques cabinets de verdure, et voisinent
avec les jardins du XVIIIe siècle qui environnent
le Petit Trianon, jardin français clairement
ordonnancé d'un côté, jardin anglais de l'autre,
succédant par la volonté de Marie-Antoinette
à celui qu'avait déjà voulu ici même Louis XV,
et qui ombrage, autour de la rivière et des
deux lacs, les célèbres fabriques du Belvédère,
du Temple de l'Amour et du Hameau.

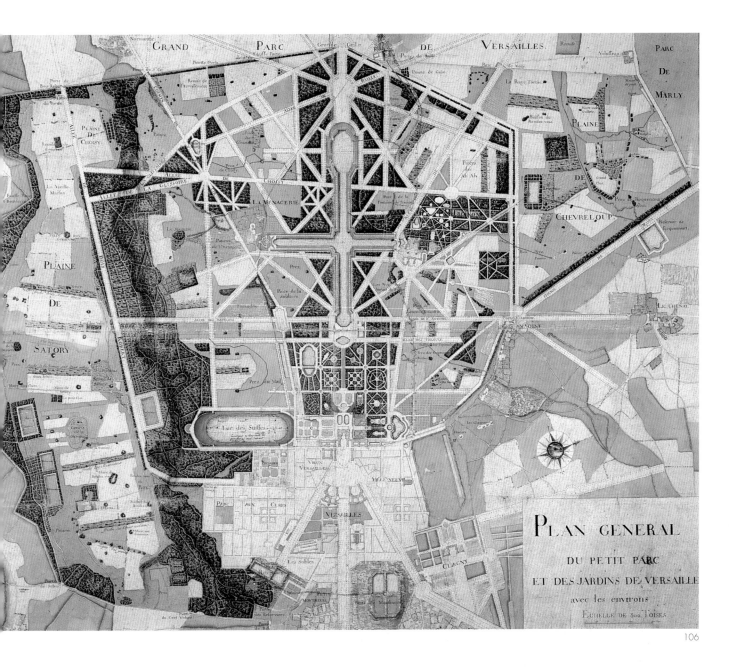

Derrière ces jardins et ces bosquets, s'étend le Grand Parc, vestige réduit (environ 500 hectares) de l'immense parc de chasse de Louis XIV, qui s'étendait sur 6614 hectares et était cerné d'un mur de clôture long de 43 kilomètres. C'est le monde de la futaie ou du taillis, celui des chasseurs d'autrefois, des randonneurs d'aujourd'hui, partagé par des avenues et des étoiles forestières qui ménagent de longues perspectives et des salles de verdure qui devront être en partie reconquises sur l'envahissement naturel. La tempête du 3 février 1990, par les ravages qu'elle a causés, a prouvé, s'il en était besoin, l'état de dépérissement dans lequel se trouve le peuplement forestier du parc tout entier.

Dans le cadre de l'action menée par la direction du Patrimoine en faveur des jardins historiques, un plan de gestion est actuellement à l'étude, en concertation entre la direction du château et du domaine et Pierre-André Lablaude, architecte en chef des Monuments historiques chargé du parc. Il s'étendra sur une vingtaine d'années et permettra de revenir à l'état attesté à la fin du règne de Louis XIV, au moins pour les perspectives majeures de la composition. Sa réalisation sera progressive et respectueuse des règles biologiques et des rythmes de croissance de la nature vivante. **Jean-Pierre Babelon, membre de l'Institut, directeur général honoraire du musée et du domaine national de Versailles et de Trianon.**

Le jardin de Le Nôtre déroule ses régulières ramifications, mettant en valeur bosquets et fontaines. Le grand jardinier sait aussi bien tracer une perspective grandiose que placer à leur avantage les centaines de statues qui habitent les lieux.

LA SCULPTURE DES JARDINS

107

Les jardins de Versailles sont décorés d'environ trois cents statues et vases de marbre, de plomb ou de bronze. Leur ensemble constitue le plus beau et le plus important musée de sculptures du XVIIᵉ siècle en plein air du monde. C'est à partir de 1666 et jusqu'à la fin de son règne que Louis XIV fit placer dans les allées et les bosquets du parc les fontaines et statues que nous admirons aujourd'hui. Dans les premières années, ce furent surtout des œuvres en plomb, telles que les bassins des Saisons ou les Marmousets de la première Allée d'Eau, qui furent créées par des sculpteurs comme les frères Marsy, Girardon, Tuby, Regnaudin, Mazeline. A ce premier décor succèdent les commandes de statues en marbre, dont la Grande Commande de vingt-quatre statues, en 1674, à l'initiative de Colbert, d'après des dessins de Le Brun, et de copies d'après l'antique réalisées par les élèves de la jeune Académie de France à Rome. Un troisième style de décor intervient à partir de 1685 avec le bronze, représenté par les statues de fleuves et de rivières des Parterres d'Eau, les combats des Cabinets des Animaux, le second état de l'Allée d'Eau. Le décor sculpté des jardins de Versailles est parvenu jusqu'à nous sans avoir subi beaucoup de modifications, au contraire des bosquets. L'entretien des œuvres était constant sous l'Ancien Régime. Au cours du XIXᵉ siècle, quelques restaurations furent entreprises, notamment sous le règne de Louis XVIII, puis lors de la célébration du centenaire de la Révolution en 1889. Mais c'est depuis les années 1970, alors que les effets de la pollution urbaine se font sentir de façon aiguë, qu'une véritable politique de protection et de restauration des statues du parc a vu le jour. Désormais, chaque année, les œuvres de marbre sont nettoyées; tous les quatre ans environ, elles reçoivent un traitement à base d'hydrofuges et de fongicides. De la Toussaint à Pâques, renouant avec une tradition ancienne dûment attestée, les statues du parc sont recouvertes de housses qui les protègent des chocs thermiques et des salissures. D'autre part, certaines œuvres victimes de la pollution ou du vandalisme ont été mises à l'abri et remplacées par des moulages : par exemple la statue équestre de Louis XIV par le Bernin, la «Vénus» ou «Midi» par Gaspard Marsy, «Latone» par les frères Marsy ou «l'Enlèvement de Proserpine par Pluton» de Girardon, replacée au centre de la Colonnade en 1990. **Simone Hoog, conservateur général au musée national des châteaux de Versailles et de Trianon.**

108

109

LE POTAGER DU ROI

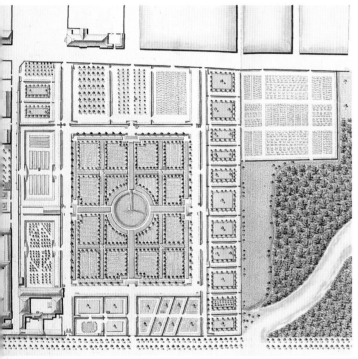

110

111

110. Anonyme,
*Plan du potager
du Roi à Versailles*
(ci-contre la légende
du plan) vers 1747,
aquarelle sur papier.

En fond : détail
sur le carré central
du Potager.

111. Le potager
du Roi aujourd'hui.
© Jacques de Givry.

112. L'Orangerie.
© Serge Chirol.

Grâce à l'ingéniosité de Jean-Baptiste
de La Quintinie, directeur des Jardins
fruitiers et potagers des Maisons royales,
Louis XIV parvenait à manger de la laitue
en janvier et à déguster des fraises en mars.
Fruits et légumes provenaient
du potager du Roi, situé à proximité
de la pièce d'eau des Suisses, dans
le quartier Saint-Louis. Né en Charente,
en 1624, La Quintinie fut d'abord reçu
avocat à la cour du Parlement de Paris,
avant de se convertir au jardinage.
Après avoir travaillé au service
de Colbert et du prince de Condé,
c'est à Vaux-le-Vicomte que Louis XIV
vint le «cueillir». A Versailles, le nombre
de courtisans augmentait de jour en jour.
L'ancien potager de Louis XIII
n'y suffisait plus. De 1678 à 1683,
La Quintinie conçoit les plans et Mansart
dirige les travaux d'un nouveau potager
aménagé sur une zone marécageuse.
Le potager est réalisé en creux,
afin de protéger les cultures du vent
et du froid. Les murs périphériques
apportent une protection supplémentaire.
A grand renfort de fumier, La Quintinie
parvient à créer des microclimats…
et les asperges poussent en mars. Chaque
carré est entouré de poiriers et de pommiers.
Sur les pourtours poussent les melons
et les petits pois, dont le roi raffole.
Mais sans doute les aime-t-il moins que
les figues que La Quintinie cultivait tout
spécialement. Autant de soins qui fit dire
au roi, à la mort du jardinier, qu'il ne
perdait pas un serviteur, mais un ami.
Le potager est actuellement géré et conservé
par l'Ecole nationale supérieure
du paysage de Versailles. **Denis Guillemin.**

111

«On descendra par la rampe droite de l'Orangerie et l'on passera dans le jardin des orangers, on ira droit à la fontaine d'où l'on considérera l'Orangerie...» C'est en ces mots fermes et itératifs que Louis XIV indique la marche à suivre pour aborder les parterres et les bâtiments de l'Orangerie, dans le livre qu'il consacre à la «Manière de montrer les Jardins de Versailles». Le roi tenait sa passion pour les orangers de son ancêtre Louis XII qui, le premier, construisit à Blois une serre où les protéger. Le Roi-Soleil commença sa collection en confisquant ceux de Vaux-le-Vicomte. Bien que construite en 1664 par Le Vau, la première Orangerie de Versailles est jugée trop exiguë. Une seconde est achevée en 1686 par Jules Hardouin-Mansart. Son élévation est fréquemment comparée à l'immensité d'une basilique romaine. La voûte sert de soubassement au parterre du Nord. De part et d'autre du bassin central et des compartiments de gazon, tracés par Le Nôtre, l'escalier des Cent Marches protège les arbres du vent. Les estimations portent à trois mille le nombre d'orangers, de citronniers, de grenadiers et autres arbustes exotiques que les jardiniers entraient l'hiver à l'abri du froid. C'est à Jean-Baptiste de La Quintinie que revenait la charge d'entretenir les orangers. D. G.

112

LE MUSÉE DES CARROSSES

*Chaises à porteurs, traîneaux, carrosses
et berlines, réunis dans le cadre prestigieux
des Grandes Ecuries, nous offrent une
magnifique promenade dans le temps.*

**2 avril 1810. Dans leurs écrins de velours blanc
et de satin ivoire, les carrosses impériaux
escortent le cortège nuptial de Napoléon Ier
et de l'archiduchesse d'Autriche.** Après avoir
divorcé de Joséphine, l'empereur se remarie avec
Marie-Louise, fille de François II et petite-nièce de
Marie-Antoinette. Sept voitures de gala, entourées
de cinquante autres berlines et de deux cent quaran-
te chevaux, descendent les Champs-Elysées jusqu'aux Tuileries, où l'empereur quitte la voiture et
part rejoindre la chapelle du Louvre. A son tour, en
1853, Napoléon III utilise les mêmes voitures, à
l'occasion de son mariage avec Eugénie de Montijo,
puis trois ans plus tard pour le baptême de leur fils.
Sept de ces berlines stationnent désormais dans les
Grandes Ecuries de Versailles, à l'emplacement des
stalles où logeaient autrefois les chevaux du roi. Dans
la roue des voitures de sacre et des chars funèbres,
dans le ballet des traîneaux et des chaises à porteurs,
le musée des Carrosses tient les rênes d'une presti-
gieuse collection, que Louis-Philippe commença à
réunir. Passé la révolution de 1830, à mesure qu'il
transforme Versailles en musée, le duc d'Orléans
acquiert en vente publique les voitures qui présentent un intérêt historique. Hélas, les deux mille
véhicules qui formaient le parc hippomobile de
Versailles, avant la Révolution, ont pratiquement
tous disparu. Seuls vestiges de ce trésor de l'Ancien
Régime, quelques traîneaux et une berline d'enfant

113. Carrosse du
sacre de Charles X,
célébré le 29 mai
1825, à Reims.
Dessiné par
l'architecte Percier,
attelé à huit chevaux
et offrant quatre
places, plus deux
en strapontin.

113

Un marchepied en maroquin rouge, encastré dans un tore de laurier en bronze doré, permettait aux passagers d'accéder à l'intérieur du carrosse. Les décors de bronze sont foisonnants: chimères, griffons, trophées d'armes, boucliers et javelots sont quelques-uns des emblèmes reproduits sur le train avant du carrosse. Aux angles, quatre cariatides coiffées de chapiteaux supportent la corniche.

ayant appartenu à Louis de France, premier fils de Louis XVI, mort à huit ans de la tuberculose.

Ainsi, Louis-Philippe est contraint de limiter ses achats – qu'il paye de ses propres deniers – à des voitures du XIXe siècle. Après avoir été longtemps abrité entre le Petit et le Grand Trianon, dans un pavillon construit, en 1851, par l'architecte Questel, le musée des Carrosses fait son entrée dans les Grandes Ecuries de Versailles, en 1985. Situées en

face du château, à quelques foulées de la place d'Armes, Grandes et Petites Ecuries se déploient en forme de fers à cheval, de part et d'autre de l'actuelle avenue de Paris. Elles furent construites à vive allure, de 1679 à 1685, sous la direction de l'architecte Jules Hardouin-Mansart. La Grande Ecurie (à gauche en tournant le dos au château) était dirigée par le Grand Ecuyer, dit «Monsieur le Grand». Dans ses rangs étaient harnachés les chevaux de

115

116

main, dressés pour la guerre ou pour la chasse. Sur la grande cour, les trois chevaux du *Cocher du cirque,* sculptés par Granier et Raon, jaillissent au galop du fronton qu'ils décorent. La Petite Ecurie, placée sous la conduite du Premier Ecuyer, aussi appelé «Monsieur le Premier», accueillait les voitures et les montures ordinaires. Contrairement à son nom, elle était légèrement plus vaste que la Grande Ecurie. Des centaines de palefreniers, de charrons, de bourreliers et de cochers en assuraient chaque jour le fonctionnement. Certains soirs, au hasard des rencontres, il arrivait que le regard d'un page croisât celui d'une princesse. C'était avant 1770, du temps où Versailles était dépourvu de théâtre. A plusieurs reprises, les Grandes Ecuries, et en particulier le manège, se transformèrent en salle de spectacle.

Sur le chemin du retour, les chaises à porteurs offraient un moyen de transport rapide pour rejoindre le palais. Importées, semble-t-il, d'Angleterre, au milieu du XVIIe siècle, les chaises apparaissaient comme le moyen de transport le mieux adapté aux petits trajets urbains. Le musée en conserve cinq modèles, sur lesquels dorures et tissus précieux abondent. L'une de ces chaises, de couleur vert olive, est marquée au chiffre de Louis-Philippe. Le passager y accédait par une portière à poignée de bronze doré, ornée d'une couronne royale. Le long du trajet, il suffisait d'actionner les

117. *La Victoire,* six chevaux, quatre places, berline de cérémonie, commandée pour le mariage de Napoléon 1er avec l'archiduchesse Marie-Louise, en 1810 : détail sur le marchepied encastré à tiroir. Décor modifié sous Napoléon III.

117

114. Train arrière du carrosse du sacre de Charles X.

115. *L'Améthyste :* berline de cérémonie du mariage de Napoléon 1er avec Marie-Louise, en 1810. Attelée à quatre chevaux, offrant quatre places.

116. *Le Baptême :* berline exécutée pour le baptême du duc de Bordeaux, petit-fils de Charles X, en 1821. Attelée à six chevaux, offrant quatre places.

118

119

*Durant
les frimas
de l'hiver,
quand l'eau
du grand canal
venait à geler,
que les allées
se couvraient
de neige, la
Cour se laissait
glisser à bord
de luxueux
traîneaux
que tiraient
les chevaux.
Dès la fin du
XVIIe siècle,*

*cette mode,
venue des
palais d'Europe
du Nord,
inspira
de nombreux
modèles,
en bois ou
en carton
bouilli, souvent
en forme
d'animaux,
décorés
de peintures
et tapissés
des plus beaux
velours.*

118. Traîneau
«à la tortue»,
1732.

119. Traîneau orné
de paysages
exotiques à décor
de chinoiseries dans
le goût de Boucher,
vers 1735.

120. Char funèbre
de Louis XVIII,
1824, attelé
à huit chevaux.

stores pour circuler en toute discrétion. Et s'il ne craignait d'être vu, le voyageur pouvait aussi commander l'ouverture des glaces coulissantes. Louis-Philippe se faisait ainsi transporter pour surveiller les travaux de transformation du château en musée. **Dans le sillage des somptueuses cérémonies princières, l'usage des carrosses se répand dans la première moitié du XVIIe siècle.** A la différence des chariots traditionnels, leur caisse ne repose plus directement sur une pièce de bois rigide reliée aux essieux, mais elle est suspendue à des courroies de cuir raccordées à de très grands ressorts en forme de «c», dont la souplesse assure un meilleur confort à leurs passagers de marque. Les berlines, ainsi nommées parce qu'inventées par un provençal qui résidait à Berlin, profitent de ce nouveau système. Les voitures qui composaient le cortège nuptial de Napoléon Ier appartenaient à cette catégorie. Vaisseaux équestres aux panneaux rehaussés de bouquets et de guirlandes, chaque berline avait son nom inscrit à l'avant de la caisse. Aujourd'hui encore, prêtes à resservir, *la Cornaline, la Victoire, la Brillante, la Turquoise, la Topaze, l'Améthyste* et *l'Opale* sont disposées dans le rang des écuries de Versailles, comme des pierres sur un diadème. Des cornes d'abondance en bois sculpté courent le long des plates-formes, tandis que les intérieurs de satin s'habillent de galons et de franges de passementerie. Quatre chevaux au minimum sont nécessaires au convoiement de ces luxueux véhicules. Mais il en faut le double pour tirer, à la vitesse de dix kilomètres à l'heure, les sept tonnes du carrosse qui servit au sacre de Charles X. Un postillon, un cocher, six garçons d'attelage, quatre valets de pied et autant de passagers alourdissent encore le poids de ce monumental équipage. Le 28 mai 1825, le comte d'Artois renoue avec le principe de droit divin selon lequel le sacre des souverains français devait avoir lieu à Reims. Il entreprend alors de rouler carrosse jusqu'à la capitale champenoise. Sur les routes de l'est de la France, le faste princier se déploie dans toute sa magnificence : splendide carrosse, entièrement recouvert de feuilles d'or et de bronze doré ; intérieurs garnis de velours de soie, de broderies de fils d'or et de clinquants ; courroies de suspension parées de maroquin rouge. Chaque étape de fabrication a nécessité le savoir-faire d'un corps de métier spécifique. Les plans furent donnés par l'architecte

120

Percier, la caisse réalisée par le carrossier Duchêne, les sculptures par le statuaire Roguier, les bronzes ciselés par Denière, le décor peint par Delorme et les broderies exécutées par Picot. Une œuvre à part entière quelque peu remaniée, en 1856, lors de la réutilisation du carrosse pour le baptême du prince impérial, fils de Napoléon III.

Les réemplois étaient fréquents. La berline de baptême du duc de Bordeaux, construite en 1821 pour la somme considérable de 50 000 F, en l'honneur de l'«Enfant du miracle» qui donnait une postérité à la branche aînée des Bourbon, servit à trois reprises, tant pour les mariages que pour les baptêmes. Il n'y avait donc que les chars funèbres pour ne jamais changer de rôle. Même si celui de Louis XVIII, avant de véhiculer la dépouille mortelle du roi, transporta le corps du maréchal Lanne et celui du duc de Berry. Mais les pompes funèbres de Louis XVIII furent les plus majestueuses, surtout en comparaison des funérailles sans fastes réservées à Louis XIV et à Louis XV, au siècle précédent. Attelé à huit chevaux caparaçonnés de velours noir, le cercueil de Louis XVIII fut transporté des Tuileries à la basilique Saint-Denis. Faisant suite au cortège de berlines et de carrosses, sous le velours de son drap mortuaire, le char funèbre du roi Louis XVIII clôt le défilé présenté dans l'enceinte du musée. **Denis Guillemin**

Le char funèbre de Louis XVIII, resservit à cinq reprises: en 1830, pour le dernier des Condé; cinq ans plus tard, pour le maréchal Mortier; en 1842, pour Ferdinand, duc de Chartres; en 1894, pour Sadi Carnot, et en 1899, pour Félix Faure.

VERSAILLES PRATIQUE

HORAIRES D'OUVERTURE

Le château de Versailles, le Grand et le Petit Trianon sont ouverts tous les jours, sauf le lundi, aux horaires suivants :

● du 1er octobre au 30 avril.
Château : 9h-17h30.
Grand et Petit Trianon : 10h-12h et 14h-17h, du mardi au vendredi, et 10h-17h les samedi et dimanche;
● du 2 mai au 30 septembre.
Château : 9h-18h30.
Grand et Petit Trianon : 10h-18h, tous les jours, sauf le lundi.
Adresse postale : Château de Versailles, 78000 Versailles. Tél. : 01 30 84 74 00.
Renseignements Minitel : 3615 Versailles.

ACCUEIL

Aux différentes entrées du château, les visiteurs trouveront un bureau d'information où ils pourront se procurer différentes brochures.
Porte A : location d'audioguides.
Porte H : entrée réservée aux handicapés.

SERVICES

● Librairie : plusieurs comptoirs de vente (guides, livres, cartes postales, disques...) sont répartis dans le château.
La librairie de l'Ancienne Comédie est spécialisée dans les ouvrages des XVIIe et XVIIIe siècles. Située cour des Princes, elle est accessible par le château et les jardins. Tél. : 01 30 84 76 90.
● Bureau de change : porte A.
● Restaurant et salon de thé dans la cour de la Chapelle (tél. : 01 39 50 58 62).
Restaurant La Flotille à la Petite Venise (tél. : 01 39 51 41 58).
● Téléphones, toilettes : cour de la Chapelle, cour des Princes, place du Grand Trianon et Petite Venise.

VISITES

● Entrée A : visite non commentée pour les visiteurs individuels (Grands Appartements du Roi, galeries des Glaces, Appartements de la Reine).
● Entrée B : visite pour les groupes en visite libre (Grands Appartements du Roi, galeries des Glaces, Appartements de la Reine). Réservation obligatoire au 01 30 84 75 43.

● Entrée B2 : visite commentée pour les groupes par les conférenciers des musées nationaux (Grands Appartements du Roi, galeries des Glaces, Appartements de la Reine, Appartements privés, Opéra, Galeries du XVIIe siècle, salle des Croisades, etc., jardins et bosquets.
● Entrée C : visite commentée pour les individuels avec audioguides en six langues (la chambre du Roi).
● Entrée D : visites-conférences pour les individuels par les conférenciers des musées nationaux (français ou anglais). Réservations sur place le jour même.
● Le Grand et le Petit Trianon se visitent librement.

VISITES-THÉMATIQUES

Cycle de visites approfondies pour les individuels, d'octobre à juin, sur réservation au 01 30 84 76 41.

VISITES-CONFÉRENCES

Les visites-conférences, assurées toute l'année, offrent un niveau et un choix de thèmes différents en fonction des âges et des intérêts du public. Elles s'adressent aux adultes (individuels, groupes, entreprises), aussi bien qu'aux jeunes (pour les enfants de 8-11 ans, des visites-ateliers sont proposées; pour les scolaires des visites pédagogiques).
Ces visites, dont la durée peut varier de 1 h à 2 h, sont en français et en anglais et, sous réserve, en espagnol, en italien, en portugais et en allemand.
Pour connaître le programme de l'année ou le catalogue complet, et pour tous renseignements et réservations, s'adresser au Département culturel du château.
Tél. : 01 30 84 76 18.
Fax : 01 30 84 75 64.

LES JARDINS

● La visite des jardins est gratuite, sauf pour les visites commentées des jardins et des bosquets, qui sont organisées pour les groupes par des conférenciers des musées nationaux (réservation au 01 30 84 76 18).
● L'Office de tourisme de Versailles propose également des visites commentées (01 39 50 36 22).

● Le circuit-promenade en petit train, avec arrêt à Trianon et à la Petite Venise, est proposé à partir de la terrasse du parterre nord. Du 1er mars au 30 novembre et du 1er décembre au 28 février, tous les jours sauf le lundi et les dimanches de Grandes Eaux. Renseignements au 01 39 54 22 00.

LE POTAGER DU ROI

Présente sur le site depuis sa création en 1976, l'Ecole nationale supérieure du paysage organise d'avril à octobre les visites-conférences du potager du Roi et du parc Balbi. Rendez-vous au 6, rue Hardy, à 14h30, du mercredi au dimanche. Visites supplémentaires de juin à septembre les samedi et dimanche à 16h30.
Chaque visite, d'une heure trente environ, se termine par une dégustation de fruits et de légumes.
Renseignements au 01 39 24 62 62.

LE MUSÉE DES CARROSSES

Grande Ecurie, 1, avenue de Paris.
Ouvert le week-end uniquement.
● Du 1er octobre au 30 avril, de 9h30 à 12h30 et de 14h à 17h.
● Du 2 mai au 30 septembre, de 12h30 à 18h.

SPECTACLES

● Grandes Eaux musicales tous les dimanches (début mai - début octobre).
● Grandes Fêtes de nuit en été.
Renseignements à l'Office de tourisme de Versailles au 01 39 50 36 22, fax : 01 39 50 68 07.

LE CENTRE DE MUSIQUE BAROQUE

Concerts dans la Chapelle royale, tous les samedis, à 17h30, d'avril à novembre.
Renseignements au 01 39 49 48 24.

MOYENS D'ACCÈS

● RER : Ligne C (Versailles-Rive Gauche)
● SNCF : Gare Montparnasse (Versailles-Chantier)
Gare Saint-Lazare (Versailles-Rive droite)
● Autobus 171 : Pont de Sèvres-Versailles place d'Armes.

BIBLIOGRAPHIE

Philippe Beaussant,
Les Plaisirs de Versailles. Théâtre et musique, Paris, 1996, Fayard

Guy Chaussinand-Nogaret,
Le Château de Versailles, Paris, 1993, Complexe.

Claire Constans,
Catalogue des peintures, Paris, 1995, RMN.

Claire Constans
Versailles, château de la France et orgueil des rois, 1989, Gallimard/RMN.

André Félibien
Description sommaire du château de Versailles, 1674.

Simone Hoog,
Manière de montrer les jardins, par Louis XIV, 1992, RMN.

Simone Hoog,
Les sculptures, volume I, 1993, RMN.

Pierre-André Lablaude,
Les jardins de Versailles, Paris, 1995, Scala.

Pierre Lemoine,
Guide de Versailles et Trianon, Paris, 1991, RMN.

Jacques Levron,
La cour de Versailles aux XVIe et XVIIIe siècles, Hachette.

Jean-Pierre Néraudau,
L'Olympe du Roi-Soleil, mythologie et idéologie royales au Grand Siècle, Paris, 1986, Les Belles-Lettres.

Jean-Marie Pérouse de Montclos,
Histoire de l'architecture française. De la Renaissance à la Révolution, Paris, 1989, Mengès-CNMHS.

Jean-Marie Pérouse de Montclos,
Versailles, 1991, Mengès.

Stéphane Pincas,
Versailles, un jardin à la française, 1995, La Martinière.

Béatrix Saule,
Versailles triomphant; une journée de Louis XIV, Paris, 1996, Flammarion.

Béatrix Saule,
Versailles, complot à la cour du roi, CD-Rom, RMN, Cyro, Canal +, 1996.

Béatrix Saule,
Visite du musée des Carrosses de Versailles, Paris, 1997, Art Lys.

Pierre Verlet,
Versailles, Paris, 1985, Fayard.

SOCIÉTÉ DES AMIS DE VERSAILLES

Créée en 1907 et reconnue d'utilité publique, la Société des amis de Versailles, présidée par le vicomte de Rohan, a deux vocations. La première est de faire mieux connaître et aimer Versailles, et de réunir autour du domaine tous ceux qui s'y intéressent. La seconde est de rechercher et de gérer des concours financiers dans le but de contribuer à l'enrichissement des collections et de participer à des travaux de sauvegarde du château et du domaine dans son ensemble. La société regroupe actuellement 4 000 adhérents, répartis en trois catégories. A chaque catégorie correspondent des avantages spécifiques : gratuité d'entrée, tarifs spéciaux sur de nombreux musées, invitations aux vernissages de la Réunion des musées nationaux, etc. Par ailleurs, la Société des amis de Versailles organise des visites, des conférences, des excursions, des voyages en France et à l'étranger, ainsi que des réceptions. Roselyne du Perray, déléguée générale Société des amis de Versailles, Château de Versailles, 78000 Versailles. Tél. : 01 30 84 75 48.

Le Bain des Nymphes, de Girardon, parterre nord.
© Serge Chirol.

Les Hors Série Beaux Arts magazine sont édités par Beaux Arts SA.

Président-Directeur général :
Charles-Henri Flammarion.
Directeur de la rédaction et rédacteur en chef :
Fabrice Bousteau, assisté de Catherine Joyeux.
Rédacteur en chef adjoint :
Mickaël Faure, assisté de Laurence Castany.
Création graphique :
Nicolas Hoffmann, Fabrice Crélerot et Delphine Cormier.
Iconographe :
Pascale Smolski.
Secrétaire de rédaction :
Sabine Moinet.
Traductions :
allemand, Mathias Feith et Karen Rudolf;
anglais, Lisa Davidson et Loïs Grjebine;
chinois, Qiao Jing;
espagnol, Fernando Jumar et Maria Martinez Smith;
italien, Eva Adam et Federica Zucchi;
japonais, M. Ozeki;
russe, Natacha Iakaitis et Diane Maizel.
Secrétaire générale de la rédaction :
Hortense Meltz.

Création et fabrication :
Directeur : Alain Alliez, assisté de Marie-France Wolfsperger.
Marketing :
Isabelle Canals-Noël.
Tél. : 01 56 54 12 35.
Diffusion :
Manon Courbez.
Tél. : 01 56 54 12 32.
Beaux Arts magazine,
33, avenue du Maine
75755 Paris cedex 15.
Tél. : 01 56 54 12 34.
Fax : 01 45 38 30 01.
RCS Paris B 404 332 942.
ISSN 0757-2271.
Dépôt légal : février 2002.
Impression : Mariogros à Turin, Italie.

© Photos RMN sauf mention contraire.
Toutes les œuvres sont conservées au musée de Versailles, sauf mention contraire.

Nous remercions pour l'aide qu'ils ont apportée à la réalisation de cet ouvrage : Béatrix Saule, conservateur en chef au musée des Carrosses; Geneviève Bouffé, responsable des espaces commerciaux du château de Versailles; Mathilde Cassandro; Aude Meltzer, Agnès Reboul et Pierrick Jan.

PREMIER ÉTAGE

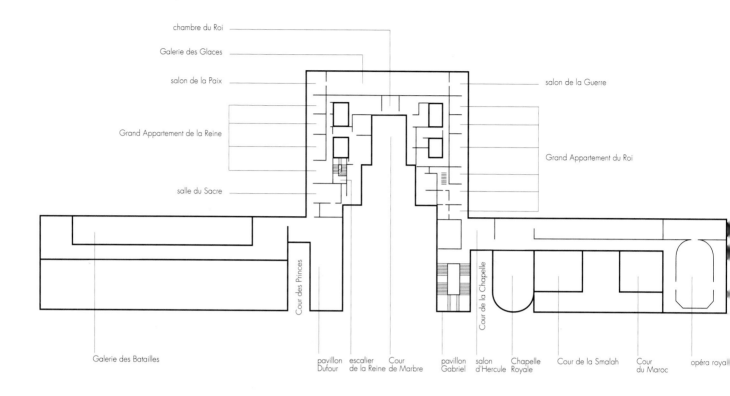

chambre du Roi

Galerie des Glaces

salon de la Paix

salon de la Guerre

Grand Appartement de la Reine

Grand Appartement du Roi

salle du Sacre

Cour des Princes

Cour de la Chapelle

Galerie des Batailles

pavillon Dufour   escalier de la Reine   Cour de Marbre   pavillon Gabriel   salon d'Hercule   Chapelle Royale   Cour de la Smalah   Cour du Maroc   opéra royal

REZ-DE-CHAUSSÉE

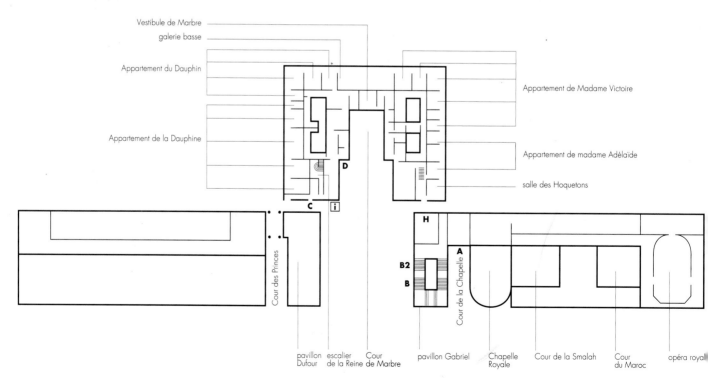

Vestibule de Marbre

galerie basse

Appartement du Dauphin

Appartement de Madame Victoire

Appartement de la Dauphine

Appartement de madame Adélaïde

salle des Hoquetons

D

C   i

H

A

B2

B

Cour des Princes

Cour de la Chapelle

pavillon Dufour   escalier de la Reine   Cour de Marbre   pavillon Gabriel   Chapelle Royale   Cour de la Smalah   Cour du Maroc   opéra royal

Pour les différentes entrées, voir page 92.

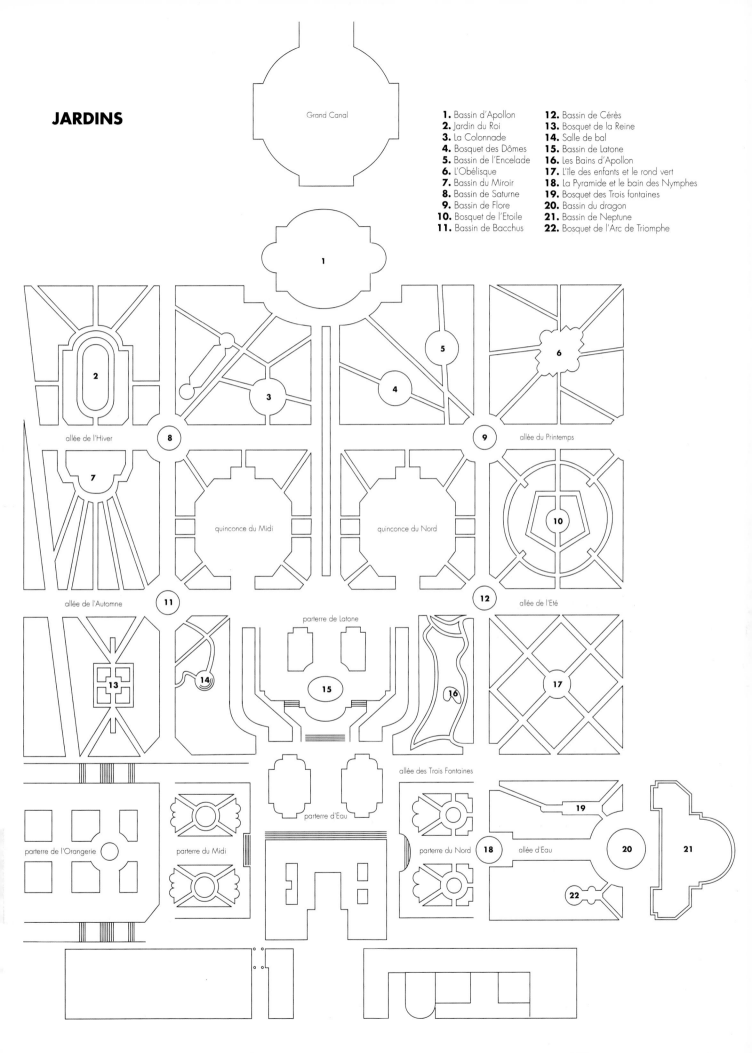

JARDINS

Grand Canal

1. Bassin d'Apollon
2. Jardin du Roi
3. La Colonnade
4. Bosquet des Dômes
5. Bassin de l'Encelade
6. L'Obélisque
7. Bassin du Miroir
8. Bassin de Saturne
9. Bassin de Flore
10. Bosquet de l'Etoile
11. Bassin de Bacchus

12. Bassin de Cérès
13. Bosquet de la Reine
14. Salle de bal
15. Bassin de Latone
16. Les Bains d'Apollon
17. L'île des enfants et le rond vert
18. La Pyramide et le bain des Nymphes
19. Bosquet des Trois fontaines
20. Bassin du dragon
21. Bassin de Neptune
22. Bosquet de l'Arc de Triomphe

allée de l'Hiver

allée du Printemps

quinconce du Midi

quinconce du Nord

allée de l'Automne

allée de l'Eté

parterre de Latone

allée des Trois Fontaines

parterre d'Eau

parterre de l'Orangerie

parterre du Midi

parterre du Nord

allée d'Eau